憲法の時間

―― 第 2 版 ――

GUIDANCE ON
THE CONSTITUTION OF JAPAN

井上典之 編　NORIYUKI INOUE

第2版　はしがき

　一般の方が持っておられる「憲法は難しい」というイメージを払拭し，一般教養的な知識として「憲法」というものを知ってもらおうという意図から出発した本書は，多くの読者の方々のおかげで，大変好評を得ております。憲法が大切な法であり，その内容がどのようなものであるのかを，少しでも多くの方々に理解してもらえるように，できるだけ簡単に解説しようという元々の考えは，現在も執筆者一同かわっていません。

　ただ，初版刊行から5年という歳月が経過し，その間に，憲法に関連するいくつかの出来事が発生しました。なによりも我々国民の日常生活を一変させた COVID-19 のコロナ感染症蔓延は非常に大きな出来事でした。

　そこで今回，それらの出来事を取り入れて内容をバージョン・アップする運びとなりました。偶然ですが，本書第2版の刊行は，日本国憲法施行からちょうど75年の節目の年になります。その年に刊行できる本書第2版の初版との大きな違いは，各項目に憲法のどのような論点に関連する問題を取り上げているのかを一目でわかるように，一般的な憲法用語での副題を付している点です。それによって，本書が読者の皆様に一層利用しやすくなっていることを執筆者一同は願っております。

　第2版刊行に際しても，有斐閣・一村大輔氏による，執筆者一同とのオンライン会議の設定や，そこでの有益なご助言をいただきました。その他，原稿の編集などの様々なご協力について，再びこの場を借りて，厚く御礼申し上げます。

　2021年12月

　　　　　　　　　　　　　　執筆者を代表して　井　上　典　之

初版　はしがき

「憲法は憲法学者だけのものではない」という発言を耳にしたことがありませんか？　その通りなのですが、とはいっても、憲法というものに関心をもつことは、その言葉のイメージからなんとなく難しいものと思いこんで、尻込みしてしまうこともあるのではないでしょうか。本書は、一般の方が持っておられる「憲法は難しい」というイメージを取っ払い、一般教養的な知識として「憲法」というものを知ってもらうために企画しました。

確かに、「憲法」という法は、国会で制定される法律や内閣などの行政機関によって制定される命令とは違い、国の最高法規として存在しています。六法全書をひらいても、最初に「日本国憲法」という法が出てくるように、とっても大切な法であることに違いありません。そこで、そのような大切な法がどのようなものなのかを、一般の方にもわかりやすく、「へえ、そうなのか」と思ってもらえるように、できるだけ簡単に、その内容を解説するように執筆者は心がけました。本書を読んで、少しでも「憲法」というものが分かった、「憲法」は大切な法なんだと思ってもらえれば幸いです。

数年前、以上のような一般教養的知識として「憲法」を語るような本を作成できないかという話を、有斐閣・一村大輔氏と編者がしました。その後、編集者と編者・執筆者の共同作業により刊行にこぎつけました。この場を借りて、一村さんには厚く御礼申し上げます。また、本書刊行までには、校正や索引作成において、高希麗さん（神戸大学大学院法学研究科博士課程後期課程）や堀晋暢君（同前期課程）にお世話になりました。ここであわせて感謝申し上げます。

2016 年 10 月

　　　　　　　　　　　　　執筆者を代表して　井　上　典　之

もくじ

執筆者紹介

はじめに――憲法を学ぶ・知るとは？　1

第1編　憲法が保障する権利とは？　5

Ⅰ　人権保障の総論（6）

1 憲法の基本原理としての「基本的人権の尊重」（人権の概念） ――― 6
　「基本的人権」は人間が人間として当然に有する権利である（6）／「侵すことのできない永久の権利」としての基本的人権（7）／「基本的人権」にはどのようなものがあるか（9）
　もう一歩（10）

2 「基本的人権」はどのようにして生まれた？（人権概念の歴史） ――― 11
　市民革命の時代（11）／国家からの自由（12）／国家による自由（13）／「侵害」があったからこそ「人権」がある？（14）
　もう一歩（15）

3 「公共の福祉」という厄介な問題（人権保障の限界） ――――――― 16
　「公共の福祉」というだけでは人権制限の理由にならない（16）／「社会全体の利益」としての「公共の福祉」？（17）／「人権と人権の調整役」としての「公共の福祉」？（18）／「公共の福祉」論を越えて（19）
　もう一歩（20）

4 人権はだれのもの？（外国人の人権） ―――――――――――――― 21
　外国人は政治活動ができないの？（21）／外国人にも人権は保障されるはずなのだが……（22）／外国人の法的地位（24）
　もう一歩（25）

5 会社にも人権？（団体の人権） ――――――――――――――――― 26
　会社のような「団体」にも人権は保障される（26）／会社の政治活動の自由？（28）／団体の人権 vs. 団体構成員の人権（28）／団体の人権 vs. 一般国民の人権（29）

もう一歩（30）

6 人権はだれにたいするもの？（私人間における人権）——— 31
「基本的人権」は本来「国家」に向けられた権利である（31）／「私人」のあいだでの人権保障？（32）／人権 vs. 人権（33）／人権保障を「間接的」に及ぼそうという考え方（34）

もう一歩（35）

II 人権規定──包括的人権（37）

7 菊のパスポートがもつ意味とは？（日本国民の定義と国籍）——— 37
日本人だけど日本国民ではない？（37）／日本国民になるために──日本国籍を取得する方法（38）／こんな事件があった・その1──国籍法はああ無情？（39）／こんな事件があった・その2──さらなるハードルとは？（40）／国籍は，やめてもいいけど無しはダメ！（41）

もう一歩（41）

8 憲法のもっとも大切な考え方とは？（「個人の尊重」）——— 42
三大原理が必ず試験に出るのはなぜ？（42）／個人がすべての価値の源（みなもと）（43）／全体よりも個人が大切！（44）／"人はみなちがう"が出発点（45）／"only one"と"No. 1"──どっちがいいの？（46）

もう一歩（47）

9 幸せになりたい！（包括的人権と幸福追求権）——— 48
「幸せになる権利」は憲法で保障されているか？（48）／わたしがわたしらしく生きるために（49）／新しい人権の代表選手──プライバシーの権利（49）／幸福追求権の役割──「新しい人権」の根拠と補充性（50）／わたしのことはわたしが決める！──自己決定権（51）

もう一歩（52）

10 同じだから平等？ ちがうから平等？（法の下の平等と差別の禁止・その①）——— 54
「特別扱い」は許されない？（54）／「等しいものは等しく，異なるものは別異に」（55）／人生は競争の連続！──勝ち抜くためには努力が必要（56）／わたしだって競争に参加したい！（57）／歴史にみる差別の代表例──生まれによる差別（58）

もう一歩（58）

11 家族にも差別がある！？（法の下の平等と差別の禁止・その②) —— 60
出発点は親の命——親と子の関係・その1（60）／嫡出子と非嫡出子——親と子の関係・その2（62）／父親の認知による不利益——親と子の関係・その3（63）／家族法に残る男女の区別——再婚禁止と夫婦の姓（64）

もう一歩（65）

12 憲法が保障する家族とは？（憲法と家族制度) —— 66
伝統的家族から現代的家族へ（66）／そもそも「夫婦」とは？「婚姻」とは？（67）／「夫婦」になれるのは男女のカップルだけ？（68）／家族もいろいろあっていい！（69）

もう一歩（71）

第2編 人権として保障されているもの 73

I 人身の自由と手続の権利（74）

13 いまどきの奴隷や苦役を考える（奴隷的拘束・意に反する苦役) —— 74
きっかけは自由意思でも（74）／やっぱりダメ？（75）／ダメなものはダメ！（76）／イヤなことはやらなくていい？（77）／イヤなものはイヤ！（77）／線引きはどこにある？（78）

もう一歩（78）

14 ボクは有罪，キミは……無罪？？（法定手続の保障) —— 79
やってはいけないこと，やったらどうなる？（79）／自分で解決してはいけないので……（80）／刑罰の説得力（81）／淫行で処罰されてもいいの？（82）

もう一歩（83）

15 死刑はやめた方がよい？（憲法と死刑) —— 84
苦しい死刑（84）／苦しくない死刑？（85）／必要な死刑？（86）／必要じゃない死刑（86）／拒否される死刑（87）／拒否されない死刑？（88）

もう一歩（88）

II 人間の精神活動 (89)

16 心の中は聖域ではない？（思想・良心の自由）——89
心の中の重要性 (89) ／憲法が保障する心の中 (90) ／心の中に手が届く？ (91) ／心の中に影響を及ぼす国家 (92) ／行為の強制と心の中 (92)
 もう一歩 (93)

17 宗教を信じる者は救われる？（信教の自由）——94
祝日と宗教 (94) ／宗教の意味 (94) ／世俗(せぞく)の世界と神の世界の衝突 (95) ／日曜はダメよ (95) ／武器よさらば (96) ／皇帝のものは皇帝に，神のものは神に (97)
 もう一歩 (98)

18 お祭りに補助金を出すことは許されるか？（政教分離原則）——99
夏祭り (99) ／政治と宗教 (100) ／不干渉(ふかんしょう)か公平か (101) ／一般常識という名の多数派の考え (101) ／日本社会を，取り戻す？ (102)
 もう一歩 (103)

19 DVDのモザイク（表現内容規制）——105
『いちばんやさしい憲法入門』(105) ／恥ずかしがり屋の裁判所 (106) ／ハードコア・ポルノだけを規制しよう！ (107) ／害悪ということが害悪である (108)
 もう一歩 (109)

20 コマーシャルも規制される（営利表現）——112
情報化社会 (112) ／選択のとき (113) ／広告にも問題あり (113) ／広告は経済活動か，それとも表現活動か？ (114) ／広告からのメッセージ (114) ／広告は商品を売るためのもの (115) ／広告は多様 (115)
 もう一歩 (116)

21 インターネットはなんでもあり？（情報通信技術の進展と表現の自由）——118
第三の世界 (118) ／オフラインとオンラインはちがう世界？ (119) ／なぜ名誉にこだわる (120) ／他人についても自由に語ろう (120) ／確実ではない「確実な根拠」(121) ／名誉の負傷 (121)
 もう一歩 (122)

22 ビラを配るのも注意が必要！(表現の時・所・方法の規制) ────── 123
表現方法はいろいろ（123）／テレビは（124）／インターネットは（124）／テレビよりもインターネットよりもビラが重要なのだ（125）／ビラ配りの恐怖（125）／ビラを配って何が悪い！（126）／現実にある情報発信の場（126）
もう一歩（127）

23 甲子園での応援も規制されるか？(集会・結社の自由) ────── 128
人の「集まり」はなぜ保障されるのか？（128）／危険あるいは迷惑な集まりは許されない？（129）／犯罪を行うための集団形成は禁止される？（130）／敵対する集団の存在から人の「集まり」を規制できるか？（131）
もう一歩（133）

24 学校の中心で，権利をさけぶ(教育を受ける権利) ────── 134
教育を受けられない子ども（134）／すべての子どものためのファーストステップとは？（135）／国家と教育の中身（136）／子どもにとってのよりよい教育（137）／残される問題——タブレットは要求できる？（138）
もう一歩（138）

25 勝手に大学の教室は使えない(学問の自由) ────── 139
学問にとっての大学（139）／学問にとっての自由（140）／大学にとっての自治（141）／大学にとっての学生（142）／学生にとっての学問（143）
もう一歩（143）

Ⅲ　経済生活と財産（144）

26 お金儲けをはじめるということ(職業選択の自由) ────── 144
仕事・職業とは？（144）／生き方の選択をも意味する職業（145）／職業活動に従事する（146）／個人事業とは異なる就職（147）／就職と職業選択の自由（148）
もう一歩（149）

27 営業活動には規制がいっぱい(営業の自由・経済活動の自由) ────── 150
企業による営業は財産権の行使？（150）／開業規制は職業選択の自由の規制（151）／営業活動の規制はなんの規制？（152）／個別

的な規制の合理性・必要性の判断 (153) ／さまざまな理由での活動にたいする規制 (154)

　もう一歩 (155)

28 土地やお金は大切です！(財産権の保障と損失補償) ──────── 156
権利の束としての「財産権」(156) ／なぜ「財産権」が保障されるのか？(157) ／何を法律で定めるのか？(158) ／モノにたいする行為の規制 (159) ／適法な規制でも正当な補償が必要！(160)

　もう一歩 (161)

29 あたり前の生活がしたい (生存権) ──────────────── 162
人生には「つまづき」がつきもの (162) ／憲法は何を保障していますか？(163) ／どんな場合に生活保護を受けられますか？(164) ／どれだけの保護が受けられますか？(165) ／生活保護の引き下げが始まっている！(165)

　もう一歩 (166)

30 「ストライキ」って何？(勤労権・労働基本権) ──────────── 168
働きたい！──「勤労の権利」(168) ／長時間労働・低賃金労働はいやだ！(169) ／納得できる条件で働くために──労働基本権(労働三権) (169) ／組合を作ろう！──団結権 (169) ／団交しよう！！──団体交渉権 (170) ／ストしよう！！！──団体行動権 (170) ／警察官のスト？(171) ／経営者の好き勝手は許さない！──プロ野球選手会の闘い (172)

　もう一歩 (172)

第3編　国民主権と政治のしくみ　173

31 政治の最終的決定権をもつ国民 (象徴天皇制と国民主権原理) ───── 174
天皇はミッキーマウス？(174) ／国民1人ひとりが主権者とは？(175) ／抽象的集合体としての「国民」とその代表？(176) ／融合された「国民主権」原理！(178)

　もう一歩 (179)

32 代表者を選ぶための方法とルール (選挙制度) ─────────── 180
憲法には選挙権の規定がない！(180) ／一定の年齢以上の国民はみんな有権者！(181) ／1人1票だけでなく、1票の内容も等し

く！（182）／投票をしなくても処罰されることはありません！
（184）／自由で公正な選挙とは？（184）

　もう一歩（185）

33 　数を頼みにする国会でいいのか？（立法権と国会）——————— 186
　国会が作る「法律」とは？（186）／国会だけで「法律」は作ることができる！（187）／「法律」制定でも参議院よりも衆議院の方が優越する！（188）／仲間の数が多ければ強いといえるが……（189）／審議は一定の期間内で！（190）

　もう一歩（191）

34 　仕分けで決まる予算？（財政民主主義と予算）——————— 192
　財政は国会を中心に！（192）／税金を取るためには法律にもとづくこと！（193）／国の収入・支出は予算という形式で！（194）／予算は歳入歳出（国の収入と支出）のたんなる見積もりではない！（194）／予算の内容を国会は仕分けできるか？（195）／お金の決算はきちんと報告すること！（196）

　もう一歩（197）

35 　リーダーとしての首相とその仲間たち（行政権と内閣）——————— 198
　行政権を担う憲法上の国家機関（198）／国民代表機関のコントロールのもとにおかれる行政権（199）／内閣から独立した行政機関を設けることは許されるか？（200）／内閣総理大臣の仕事とは？（201）／内閣の仕事とは？（202）

　もう一歩（202）

36 　都道府県や市を勝手になくすことは可能か？（地方公共団体と
　地方自治）——————————————————————— 203
　国が先か，地方が先か？（203）／中央政府から独立する団体の存在（204）／「民主主義の学校」としての地方自治（205）／1つの地方公共団体にのみ適用される特別法（地方自治特別法）（207）

　もう一歩（208）

第4編　権利や憲法をまもるしくみ　209

37 　裁判所のお仕事（司法権の範囲と限界）——————————— 210
　裁判所は「具体的事件」がなければ裁判しない（211）／「法律を

適用して解決できる事件」でなければ裁判しない（211）／「法律を適用して解決できる事件」でも裁判しない場合がある（213）／裁判所は「団体内部の問題」には口を出さない？（213）

　もう一歩（214）

38　もめごとを解決する裁判のしくみ（裁判所の組織・活動）―― 215
　裁判所は何をしてくれるのか？（215）／裁判所のしくみ（216）／裁判官はどんな人たち？（217）／裁判の中立・公平をまもるために（218）／裁判の公開（218）

　もう一歩（219）

39　ボクも「憲法違反だ！」と言いたい（違憲審査制）―― 220
　裁判所は法律が合憲か違憲か審査できる――違憲審査制（220）／どんな場合に憲法違反を主張できるのか？――付随的違憲審査制（221）／なぜ，具体的事件がないと憲法違反を主張できないのか？（222）／違憲判決が出た場合はどうなるのか？（223）

　もう一歩（224）

40　ルールがおかしいのか？　使い方がおかしいのか？（法令違憲・適用違憲・合憲限定解釈）―― 225
　ルールがおかしいのか？　使い方がおかしいのか？（225）／ルール自体がおかしい！――法令違憲（226）／ルールの使い方がおかしい！――適用違憲（227）／ルールの解釈を工夫する――合憲限定解釈（228）

　もう一歩（229）

第5編　憲法とはどのような法？　231

41　国を形作る法としての憲法（国家と憲法）―― 232
　国とは何か？（232）／3つの要素からなる「国家」－国家三要素説（233）／想像上の存在としての「国家」（234）／目に見えるようにする約束事（234）／一定の内容にもとづき文書化される約束事（235）

　もう一歩（236）

42　憲法によって統治権はしばられる（近代立憲主義の特徴）―― 238
　全能の「国家権力」は存在しない（238）／最高の力の担い手だか

らこそ……（239）／権力の独占は回避しよう！（240）／人々の自由と平等のために（241）／人権保障と権力分立（242）

　もう一歩（243）

43 国の最高のきまり（憲法規範の特質） ────────── 244
「国家」といわばウラオモテの関係であることから「最高」になる（244）／文書化された「憲法」は変えにくい（245）／文書化された内容は「最高」のものである（246）／いちばん強いきまりとしての憲法典（247）／権限を授けることは制限することでもある（248）

　もう一歩（249）

44 憲法を変えるとは？（憲法の改正） ────────── 250
簡単には変えられない！（250）／なぜ改正は難しいのか？（251）／変えることが難しいのは憲法自身が自分をまもるため（252）／改正手続によればどのような変更も可能か？（253）／改正手続を変えても大丈夫？（254）

　もう一歩（255）

45 平和な社会に憲法が活きる（平和主義と平和的生存権） ─── 256
平和でなければはじまらない！（256）／国際社会での戦争の違法化（257）／国際社会での集団的安全保障体制（258）／平和主義という考え方（258）／平和の実現に向けて（260）

　もう一歩（260）

日本国憲法（全文）　263
事項索引　275

Coffee　Break
① 二重の基準（36）
② 環境権（59）
③ 性同一性障害（72）
④ 裁判を受ける権利（104）
⑤ 表現の自由と著作権（111）
⑥ 表現内容規制・表現内容中立規制（117）
⑦ 居住・移転の自由（149）

⑧ 必要性・合理性（167）
⑨ 政党（185）
⑩ 国家賠 償 請求権（197）
⑪ 国政調査権（208）
⑫ 客観訴訟（230）
⑬ 主権とは？（243）

> 本書のコピー，スキャン，デジタル化等の無断複製は著作権法上での例外を除き禁じられています。本書を代行業者等の第三者に依頼してスキャンやデジタル化することは，たとえ個人や家庭内での利用でも著作権法違反です。

執筆者紹介（＊は編者，数字は担当項目）

＊井上　典之（いのうえ　のりゆき）*23, 26〜28, 31〜36, 41〜45*
大阪大学大学院法学研究科博士課程後期課程退学・博士（法学）
大阪学院大学大学院法学研究科教授

植木　淳（うえき　あつし）*29, 30, 37〜40*
神戸大学大学院法学研究科博士課程後期課程修了・博士（法学）
名城大学法学部教授

浮田　徹（うきた　とおる）*13〜16, 24, 25*
神戸大学大学院法学研究科博士課程後期課程単位取得退学
摂南大学法学部准教授

西土　彰一郎（にしど　しょういちろう）*17〜22*
神戸大学大学院法学研究科博士課程後期課程修了・博士（法学）
成城大学法学部教授

春名　麻季（はるな　まき）*7〜12*
神戸大学大学院法学研究科博士課程後期課程修了・博士（法学）
福岡大学法学部教授

門田　孝（もんでん　たかし）*1〜6*
神戸大学大学院法学研究科博士課程後期課程単位修得退学
広島大学大学院人間社会科学研究科実務法学専攻教授

はじめに
——憲法を学ぶ・知るとは？

　憲法を学ぶというのは，なんとなく難しいのではないかと思われているかたが多いのではないでしょうか。でも，憲法についての知識は，大学で法学部に行って専門的に学ぶまでもなく，すでに小学校の社会科にはじまって，中学校の公民や高等学校の現代社会，政治経済の科目のなかで教わっているはずです。ただ，学校で勉強すべき科目の内容として教わっているために，あるいは試験のために覚えるべきものと考えられているために，それは難しいという印象をもっておられるのではないでしょうか。そして，六法全書をひらく必要のない，法学とは無縁の人たちにとっては，なぜ憲法を学び，それを勉強しなければならないのかという疑問から，高等学校までのいやな社会科の内容として，「憲法」と聞くだけでアレルギー反応を起こす人もいるかもしれません。

　しかし，政治家の発言や新聞報道でも取り上げられるように，わたしたちは，日常生活のなかでも「憲法」という言葉をしばしば耳にします。そして，なんとなくではあっても，「憲法」というものはとても大切で，そのために問題として取り上げられることも多いものであるとの意識もかすかにあるのではないでしょうか。それは，そもそも5月のゴールデン・ウィークに「憲法記念日」という祝日が含まれていることも，「憲法」の大切さ，そして「憲法」というものの重要性を暗に示していると考えられます。まさに「憲法」が「国」の存在と大きくかかわるために，日本国民がその施行日（5月3日）を祝うという意味が込められているのです。

＊＊＊＊＊

　それでは,「憲法」とはいったいどのような法なのでしょうか。それは,本書を最後までお読みいただいて理解していただきたいと思うのですが,国家の存在と大きくかかわり,不可分の関係で必要とされる法だということです。ですから,憲法は,国会によって制定されたり,内容を変更できたりする法律とは異なります。憲法改正というものが,常に政治的問題として大きな論争になり,国会でそれを論じることが大きなニュースとされることからも,いつできたのかさえ気づかないような通常の法律とは異なることがわかるのではないでしょうか。

　もちろん,法律の制定・改正についても,大きな問題になることがあります。しかし,それはまさに憲法に反するのではないかという点が問題とされるために大きく取り上げられることになるのです。憲法とは,法律の内容にたいして一定の制約を課すものになっています。これは憲法が国会の多数決で制定・改正できる通常の法律とは異なることの証(あかし)です。

　そこで,わたしたちは,日本という国の存在と大きくかかわり,国と不可分になっている日本国憲法という法の内容を知ることが必要になります。いいかえれば,憲法を知ることは,まさに日本という国を知ることになるのです。そのために,日本という国で生活している者にとっては,憲法を知ることが自分の生活している国を知るという一般的な教養・知識になるのです。小学校以来の学校教育でそれを学ぶのも,そのような理由からだといえます。日常生活において,新聞やニュースで登場しても,何を論じているかわからないということでは,まさに自分の生活空間をわかっていないことと同じになってしまいます。

　しかし,日本国憲法という法典に書かれていることを知れば,それ

で憲法を学んだことになるのでしょうか。もちろん，日本国憲法の条文に何が書かれているのかを知っておくことは必要です。しかし，それを覚えていることが必ずしも重要なことではありません。条文それ自体を覚えるよりもむしろ，憲法はなぜ存在するのか，文書化された条文で何を，なぜ規定しているのか，たとえば，憲法が保障する「基本的人権」とはいったいどのような権利・自由か，なぜそのような自由や権利が保障されているのか，また，「国民主権」という原理はいかなるもので，なぜそのような原理が必要とされたのか，憲法は国や地方のしくみをどのような理由で，どのように定めているのかということを知るとともに，その内容を理解してこそ，憲法を学んだ，そしてそれを知ったということができるのです。それを学んでこそ，わたしたちは，日常生活のなかで一般的な教養・知識として，日々の出来事をよりよく理解できるようになるのです。

＊＊＊＊＊

そこで本書では，憲法を学んだ，それを知ったと思ってもらえることを目指します。それはつまり，憲法論においてこれだけは知っておいてもらいたいと考えるいくつかのテーマとして，日常生活を送るうえで最低限知っておくことに意味があることがら，社会生活において知っておくことが必要で，有意義と思われることがら，また，法律の専門教育を今後受けるうえで知っておくべきことがらについての情報をわかりやすく提供することで，憲法の勉強を手助けしようと考えています。そのために，大学の憲法の講義で取り上げるような最高裁判所の専門的判例や難しいと思われる憲法学説の引用は極力避けています。最低限，一般の市民のかたたちにも「教養」として必要な憲法の知識を提供することで，憲法そのものを身近に感じてもらえればと思っています。そして，そのことを通じて，つまり，憲法を学ぶことに

よって，日々の生活が（経済的というよりも精神的に）より豊かになることを願って，憲法の内容を教養的知識として身につくよう情報提供していくことにします。憲法を学ぶことはそれほど難しいことではない，このような感想を期待して，ここから憲法の勉強をはじめていただければと思います。

第1編
憲法が保障する権利とは？

I 人権保障の総論

1 憲法の基本原理としての「基本的人権の尊重」
―― 人権の概念

のび太「ねえ，ドラえもん！ きょう学校でジンケンについて習ったんだ。ボクもジンケンがほしい。ドラえもんのポケットからジンケンを出してよ。」

ドラえもん「そりゃ無理だよ，のび太くん。ボクはロボットだもの。ロボットは人権をもっていないんだ。」

のび太「えー，そうなんだ。じゃ，どうやったらジンケンを手に入れることができるのかなあ……。」

ドラえもん「大丈夫。人権ならキミはもうもっているよ。」

のび太「でも，ボク，だれからもジンケンなんてもらった覚えはないよ。」

ドラえもん「人権というものは，だれかからもらったり，だれかにあげたりするものではなくて，人間なら当然にもっているものなんだ。……まったくもう，キミは学校で何を勉強してきたの？」

| 「基本的人権」は人間が人間として当然に有する権利である

「ドラえもんやおさるのジョージにはないが，のび太やジョージと一緒に住んでいる黄色いぼうしのおじさんにはあるものは何？」――この問いにたいする答えはいろいろ考えられるでしょうが，正解の1つは「基本的人権」（人権）です。

「基本的人権」とは，人間がただ人間であるということだけで当然に有する権利，として理解されています。たんに「人権」という場合も，「基本的人権」と同じ意味で用いられるのがふつうです。言葉の感じからすると，「人権」のうち基本的なものだけが「基本的人権」だということになりそうですが，たいていの場合，この2つはとくに区別することなく用いられています。

　ですから，性別や年齢にかかわりなく，あるいは頭の良し悪しに関係なく，人間であるかぎり「基本的人権」あるいは「人権」は保障されます。人間であるのび太も，当然「人権」をもっています。逆に，人間ではないロボット（ドラえもん）や，動物（おさるのジョージ）などは，たとえどんなに知的で聡明であっても，人権はもっていません。それでは，「宇宙人」や「妖怪人間」にも人権はあるのかとなると，何かと難しい問題になりそうですが，ここでは深入りはしないでおきましょう。

　このように，「基本的人権」は人間が人間として当然に有する権利ですから，他人との約束事などによって生まれる権利ではなく，他人にゆずり渡すことのできる権利でもありません。こうした点をとらえ，「基本的人権」は，「生来の権利」とか，「不可譲の権利」などとよばれることもあります。「生来」とは，ここでは「生まれながらにもっている」ということであり，「不可譲」とは，「ゆずり渡すことができない」という意味です。

「侵すことのできない永久の権利」としての基本的人権

　ここで，日本国憲法の条文をみてみましょう。憲法のなかで，「基本的人権」という言葉が出てくるのは，実は2か所だけです。まず，11条で，「国民は，すべての基本的人権の享有を妨げられない。この憲法が国民に保障する基本的人権は，侵すことのできない永久の権利

として，現在及び将来の国民に与へられる」とあります。次に，97条が，「この憲法が日本国民に保障する基本的人権は，……現在及び将来の国民に対し，侵すことのできない永久の権利として信託されたものである」と定めています。どちらの条文からも，基本的人権は，「侵すことのできない永久の権利」として最大限の配慮が払われていることがみてとれます。このような，憲法による「基本的人権の尊重」にかんしては，いくつか注意が必要です。

　まず，「基本的人権」は，前にみたように，「人が人として当然に有する権利」ですから，「憲法によって与えられる権利」ではありません。「憲法が基本的人権を保障する」ときくと，憲法によって「基本的人権」が与えられるのだと考えてしまいそうですが，そうではなく，人がすでにもっている「基本的人権」を憲法が改めて確認し，それを尊重する，という意味で理解されるべきだ，ということになります。憲法11条は，基本的人権が「現在及び将来の国民に与へられる」といってはいますが，このことは，基本的人権が，憲法によってはじめて「与えられる」という意味ではありません。それはむしろ，基本的人権が人間にたいして「当然に与えられる」ことを述べたものといえるでしょう。

　次に，「基本的人権」は，国家や憲法によって「奪われる」こともありません。たしかに，国民に「基本的人権が保障される」といっても，国民がなんでもやりたい放題できるということを意味するものではありませんから (☞3)，基本的人権になんらかの制限が加えられることは考えられます。しかしそれは，あくまでもほかの人の権利や利益と衝突する場合などに，そのような権利や利益とのあいだで調整がはかられるだけであって，基本的人権を「剥奪」すること，つまり奪うことは許されません。基本的人権は，文字どおり，「侵すことのできない永久の権利」なのです。

「基本的人権」にはどのようなものがあるか

さて、いささか抽象的な話ばかりしてきましたが、こうした「基本的人権」が具体的にはどのようなものかについて、小学校の頃から憲法について習ってきたみなさんの多くはなんらかのイメージが湧（わ）くのではないでしょうか。

憲法の保障する「基本的人権」あるいは「人権」として理解されてきたのは、具体的には、主として日本国憲法第3章が「国民の権利及び義務」としてあげる条文のなかに含まれる、さまざまな権利です。そこでは、たとえば、思想・良心の自由（19条）、信教の自由（20条）、表現の自由（21条）、職業選択の自由（22条）、学問の自由（23条）、健康で文化的な最低限度の生活を営（いとな）む権利（25条）、教育を受ける権利（26条）、あるいは勤労の権利（27条）など、実にさまざまな権利が保障されています。

こうしたさまざまな「基本的人権」のうち、あらかじめ知っておいてほしいのが、「自由権」と「社会権」の区別です。「自由権」とは、国家権力から不当な干渉（かんしょう）を受けることのない権利をいいます。これにたいして、「社会権」とは、国家の積極的な介入により、一定限度の生活・活動などを保障される権利をいいます。簡単にいえば、自由権は、国に「〜しないでくれ」と要求する権利であるのにたいし、社会権は、国に「〜してくれ」と要求する権利であるといえるでしょう。こうした点をとらえ、自由権は「国家からの自由」、社会権は「国家による自由」とよばれることもあります。同じ基本的人権であっても、「自由権」と「社会権」では保障のあり方がまったく異なることに注意してください。

たとえば、うえにあげた「表現の自由」（21条）は、国に「わたしの言いたいことを、禁止したり制限したりしないでくれ」と要求する

ことが主な内容であり、自由権に分類されるのにたいし、「生存権」(25条) は、国に「健康で文化的な最低限度の生活を確保し、さらに良い生活ができるようにしてくれ」と要求することが主な内容であるため、社会権に分類されます。もちろん、「自由権」と「社会権」の区別は絶対的なものではなく、また、すべての基本的人権が、「自由権」か「社会権」のいずれかに分けられるというものでもありません (☞もう一歩)。ただ、こうした区別は、基本的人権の性格や、基本的人権という考え方の生まれてきた歴史的背景 (☞**2**) を理解する助けになることでしょう。

もう一歩

　憲法の保障する権利を、研究者は、たとえば、以下のように類型化してきました。今後、本書を読み進めるうえでの参考にしてください。ただし、これはそれぞれの人権の主たる性格をもとにしたおおまかな分類なので、あまり固定的に考えないこと。あわせて、「国務請求権 (受益権)」や「参政権」の意味についても調べてみてください。

◎包括的権利と平等 　生命・自由・幸福追求権 (13条) 　法の下の平等 (14条) ◎自由権 ・精神的自由権 　思想・良心の自由 (19条) 　信教の自由 (20条) 　集会・結社・表現の自由 (21条) 　学問の自由 (23条) ・経済的自由権 　居住・移転・職業選択の自由 (22条) 　財産権 (29条) ・人身の自由 　奴隷的拘束・苦役からの自由 (18条) 　刑事裁判の基本原則に関する権利 　　(31条・39条)	被疑者・被告人の権利 (33条～38条) ◎国務請求権 (受益権) 　請願権 (16条) 　国家賠償請求権 (17条) 　裁判を受ける権利 (32条) 　刑事補償請求権 (40条) ◎社会権 　生存権 (25条) 　教育を受ける権利 (26条) 　勤労の権利 (27条) 　勤労者の権利 (労働基本権) (28条) ◎参政権 　公務員の選定・罷免権 (15条) 　直接民主主義的参政権 (79条・96条ほか)

2 「基本的人権」はどのようにして生まれた？
―― 人権概念の歴史

　人間がただ人間であるということだけで当然に有する権利としての「基本的人権」という考え方は、実際にはだれがどのようにして考えついたのでしょうか？　そして、どのようにして憲法によって保障されるようになったのでしょうか？

　憲法 97 条では、「この憲法が日本国民に保障する基本的人権は、人類の多年にわたる自由獲得の努力の成果であつて、……過去幾多の試練に堪へ」てきたことがうたわれています。そう、基本的人権という考え方が生まれ、憲法によって保障されるにいたるまでには、多くの先人の血と汗が流されてきたのです。ここでは、そうした基本的人権の歴史についてみていきましょう。

市民革命の時代

　現在、日本だけでなく多くの国々で、憲法により人権を保障するのはあたり前のようになっていますが、人類の長い歴史のなかで「人権」という考え方が生まれてきたのは、比較的新しい時代のことでした。それは、17 世紀から 18 世紀にかけての欧米で生まれてきたといわれています。

　17・18 世紀の欧米、それは市民革命の時代でした。それ以前に存在したのは、国王を頂点とし、領主と家臣が土地をもとに主従関係で結ばれた身分制（これを「封建制」といいます）であり、そこではやがて、権力を伸ばした国王が絶対的な権力をふるうようになりました（これを「絶対王政」といいます）。この時代の人々は、身分と土地にし

ばられていたため、平等ではなく、自由でもありませんでした。この頃から富をたくわえ、力をつけるようになった「市民」たちは、自由と平等を求めて立ち上がり、最終的にこれを勝ち取ったのでした。

　もっとも一般的にはこのように説明できるのですが、市民革命のありようは、国によってさまざまでした。市民革命としては、イギリスの清教徒革命や名誉革命、あるいはアメリカの独立戦争なども知られていますが、もっとも劇的なかたちをとったのは、18世紀末に起きたフランス革命でしょう。

　当時のフランスでは、ブルボン王朝による絶対王政が続いており、アンシャン・レジーム（旧体制）とよばれた体制のもとで、特権階級である聖職者と貴族にたいし「第三身分」と称された市民や農民は、貧困や重税にあえぎ、制度にたいする不満が高まっていきました。革命の象徴的事件とされる、1789年7月14日のパリ民衆によるバスティーユ監獄襲撃に続き、8月26日に採択された「人および市民の権利に関する宣言」（フランス人権宣言）はあまりにも有名です。そこでは、「人は、権利において、生まれながらにして自由かつ平等」と述べられ、また「時効によって消滅することのない人間の自然的な権利」が語られています。革命にたいする時の国王ルイ16世や王妃マリー・アントワネットの無理解などもあり、その後革命は過激な考え方に支配されて国王や王妃の処刑という悲劇も生みました。このように多くの血が流されたフランス革命ですが、だからといって、その成果の1つである人権宣言の重要性が色あせることはありません。

国家からの自由

　「人間が人間として当然に有する権利」という考え方は、今みたフランス人権宣言の内容からも明らかで、こうした人権宣言の考え方は、その後の各国の憲法のなかに取り入れられていきました。もっとも、

この時代に「人権」として主に考えられていたのは，国家により自己の活動を不当に制限されない権利，つまり「自由権」(☞ _1_) であり，また「平等」(☞ _10_) でした。

「自由権」と「平等」，それは，人を身分と土地にしばりつけていた封建制の拘束から解放され，身分にとらわれることなく自由な経済活動を営（いとな）みたいという当時の人々，とりわけ富をたくわえつつあった「市民」たちの要求にかなうものでした。そこでは，国家は，できるだけ市民たちの活動に干渉（かんしょう）しないことが求められ，とりわけ経済活動を市民たちの自由に委（ゆだ）ねることが要請されていました。この時代に要求されたのは，国家の干渉を受けない自由，つまり「国家からの自由」だったのです。

市民革命の結果，国家からの干渉を排除することにより，市民らは自由にさまざまな活動を営むことができるようになりました。それは，自由な経済活動を可能にし，資本主義体制の発展を後押しするものでもありました。資本主義は，モノの個人所有と自由な売買とがあって，はじめて成り立つものです。こうして，市民革命を経た欧米では，19世紀を通じて資本主義が大きく発展することとなりました。

国家による自由

しかし，このようにして発展した資本主義には，やがていくつかの問題がみられるようになりました。とくに深刻だったのは，貧困者や労働者など，資本主義社会において不利な立場に立たされやすい人たちをどうするか，という問題でした。資本主義体制のもとでは，自由競争の結果，巨万の富を築く資本家が出る一方で，貧困な労働者等を大量に生み出しました。「社会的・経済的弱者」といわれることもあるこれらの人々は，日々の生活にも事欠くありさまでした。そうした人々は，かたちのうえでは「国家からの自由」を保障されていました

が，実際にはこうした自由を楽しむことはできませんでした。

このような事態にいたり，国家の積極的な介入によって，社会的・経済的弱者に，一定限度の生活や活動を保障していこうという考え方が主張されるようになります。「社会権」(☞ 1, 29) という考え方の登場です。1919年に制定されたドイツのワイマール憲法は，社会権について定めた最初の憲法として知られています。そこでは，経済的自由について，「すべての者に人間たるに値する生活を保障する目的をもった正義の原則」の限度内でなければならないという規定がおかれています。

このような，国家の介入によって生活・活動を保障される権利，つまり「国家による自由」は，「国家からの自由」と並び，20世紀以降の諸国の憲法によって保障されました。日本国憲法も例外ではありません。社会権という考え方にもとづき，生活困窮者にたいして，国が金銭を出して生活を支える「生活保護」の制度が設けられ，また労働の最低基準が定められるなど，各種の施策が講じられています。

「侵害」があったからこそ「人権」がある？

このようにみてくると，「自由権」と「社会権」とでは，生まれてきた時代背景がちがうのがわかります。それでも両者に共通していえることは，その時代ごとに克服されるべき課題としての人権の抑圧や侵害状況――封建的制度による拘束や，自由（資本）主義経済下での労働者らの貧困・苦境など――があり，それに対処するために「自由権」や「社会権」が主張され，認められていったということです。

つまり，「人が人として当然に有する権利」という考え方自体は，時代を超えてどの国でも通用する権利の概念に思われそうですが，その個々の内容は，各時代特有の課題に応えるためのものでした。いってみれば，人権の「侵害」があったからこそ，そうした「人権」概念

が生まれてきたのです。

あわせて、たとえば市民革命の担い手であった市民らにとって、「自由権」と「平等」によって保護される活動が、市民の経済活動に重なるものであり、自分たちの利益にかなうものでもあったことにも目を向けておきましょう。人権の主張というものは、たんなる正義感だけではなく、それを主張する人々の利害関係がからんでいるという面もあるのです。

このように、「人権」の主張が、その時代特有の問題に対処するためのものだとしたなら、現在の日本はどうでしょうか。豊富な人権規定をもつ日本国憲法のもとでも、全ての問題を満たしているわけではありません。たとえば、情報化社会の進展にともなうプライバシー侵害に対処するために、憲法で明示的に保障されていない「プライバシー権」が主張されるのも（☞9）、こうした文脈で理解することができるでしょう。「人権」の主張は、その時代と国の問題状況を反映するものなのです。

もう一歩

市民革命を思想的に正当化したのは、この時代の啓蒙思想家たちの考え方でした。たとえば、その1人であるジョン・ロックによれば、「自然法」の支配する自然状態において、人々は生命・自由・所有物にたいする「自然権」をもっており、所有を確実なものにするために、合意によって国家を作り、自然法の執行を統治者に信託したのだとされます。したがって、統治者が信託に反して人々の権利を侵害した場合は、人々はこれに抵抗することができ（これを「抵抗権」といいます）、場合によってはそうした統治者を打倒することができるとされました。このロックの考え方は、イギリスの名誉革命を正当化するものであり、またアメリカの独立宣言にも大きな影響を与えました。

3 「公共の福祉」という厄介な問題
——人権保障の限界

　人権が保障されるからといって、なんでもやりたい放題やれるということではもちろんありません。他人への迷惑もかえりみずに、自分の利益だけを追求するような「人権」は認められません。そういう意味では、人権には一定の「限界」があるのです。

　このことを、2で紹介したフランス人権宣言では、「自由とは、他人を害しないすべてのことをなしうることにある」(4条)と表現しています。これにたいして、日本国憲法は、人権保障の限界を、「公共の福祉」という言葉を用いて表しています。それによれば、憲法の保障する自由および権利を、国民は「濫用してはならない」のであり、「常に公共の福祉のためにこれを利用する責任」を負うとされます(12条)。しかし、「公共の福祉」を理由に、安易に人権制限を認めてしまうと、人権を保障した意味がなくなってしまいます。「公共の福祉」とは、どのようなものとして理解すべきなのでしょうか。

| 「公共の福祉」というだけでは人権制限の理由にならない |

　カメラマンであるウエキさんは、自分の撮影した写真を広く世間の人々に見てもらいたいと思い、写真集を発行しようとしたところ、そのなかに含まれていた裸体の写真の何枚かが、わいせつだとして、わいせつ物販売の罪に問われました。これにたいして、ウエキさんは、写真集の販売を禁止することは、憲法で保障された「表現の自由」(21条1項)の侵害だと主張しました。似たような問題は、ほかの箇所(☞ 19)でも扱われますが、ここでは、「人権保障の限界」という

視点から、この問題を考えてみましょう。

ウエキさんの写真集の出版が許されない理由として、「写真集の出版は、公共の福祉に反するからだ」と答えた場合、みなさんがウエキさんだったら、はたして納得するでしょうか。これだけで納得するという人はおそらくいませんよね。実際に人権制限が問題になる具体的な場面では、人権制限の理由として「公共の福祉」をいうだけでは、なんの説得力ももちません。そこにいう「公共の福祉」とは何か、立ち入った説明が求められることになるのです。

「社会全体の利益」としての「公共の福祉」?

「公共の福祉」をどのように説明するかについては、多くの憲法学者が頭を悩ませてきました。この点についてはさまざまな考え方が出されてきましたが、ここでは代表的なもののなかから、2つほど紹介しておきましょう。1つの考え方としては、「公共の福祉」を、「社会全体の利益」として一般的にとらえる立場があります。これは、たしかに、国語的に素直な考え方のようにも思われます。

しかし、一般的・抽象的に「社会全体の利益」を語るだけでは、やはり「公共の福祉」と同じく、実際に人権制限が問題となった個別的・具体的な事件を考えていく場合に、なんら助けになりません。当然、「社会全体の利益」とはどのようなものか、説明が必要になってきます。たとえば、ウエキさんの写真集販売を禁じる理由となる、「社会全体の利益」とはどのようなものでしょうか? ここで問題となっているのは性表現の禁止ですから、その理由としてたとえば「社会における性秩序の維持」ということになるのでしょうか。こうした理由には、説得力があるといえるでしょうか。

このような、人権制限の理由として「社会全体の利益」をあげる考え方にたいしては、さらに根本的な批判があります。つまり、「人権」

を社会「全体」の利益を理由に制限できる、という発想自体にたいする批判です。憲法の根底には、「個人の尊重」（13条）という原理があり（☞*8*）、個人に優先する「全体」の利益とか価値とかは憲法の原理としては認められません。それにもかかわらず、「個人の人権」を、「社会全体の利益」のために制限することは、「個人」よりも「全体」を優先させることになりかねないというのです。こうした批判もふまえるなら、人権を制限する理由として、「社会全体の利益」をうちだしていくことは、妥当ではないということになりそうです。「公共の福祉」をどう理解するか。これは意外と厄介な問題なのです。

「人権と人権の調整役」としての「公共の福祉」？

　もう1つの「公共の福祉」の考え方は、冒頭にあげたフランス人権宣言4条と同じく、「他人を害しない」範囲での人権保障という発想に立つものです。この立場は、「公共の福祉」を、「人権相互の矛盾・衝突の調整をはかる実質的公平の原理」というかたちでいい表しました。こういうと難しいようですが、要するに、「人権と人権の調整役」として「公共の福祉」を理解するわけです。

　この考え方によれば、個人の人権を制限する理由となりうるのは、他人の「人権」だけだということになります。ですから、たとえば、冒頭にあげたウエキさんの写真集の販売の例では、一方で「(性)表現の自由」という「人権」があり、他方でこれに対抗する、そうした表現を「見ない自由」とか、性的に未熟な青少年がそうした情報にさらされない権利といった「人権」があり、これら「人権」相互の調整をしていくのが「公共の福祉」だということになります。こうした発想に立てば、「個人の尊重」という根本的価値との関係をめぐる問題も、ひとまずクリアできそうです。

　「人権と人権の調整役」として「公共の福祉」を理解する考え方は、

第1の考え方として紹介した「社会全体の利益」論と比べ,「公共の福祉」の説明の仕方自体が,大きく異なっていることがわかります。つまり,「社会全体の利益」論が,「公共の福祉」というものを,その「内容」によって説明しようとするのにたいし,「人権と人権の調整役」論は,「公共の福祉」の「内容」については何も語ることなく,その「役割」(＝人権と人権の調整)によって説明しようとしているのです。そうした説明の背景には,「公共の福祉」の内容を一般的に語ることはできないという考え方があります。

| 「公共の福祉」論を越えて |

「公共の福祉」を「人権と人権の調整役」ととらえる考え方は,批判もありますが（☞もう一歩）,その発想自体は多くの支持をえるところとなりました。この考え方によった場合,「公共の福祉」ということ自体は,人権の制限を正当化する理由とはならず,ある人権の制限が許されるかという問題は,個々の場面で,具体的に検討されていくことになります。それは,「公共の福祉」自体を解消していく方向の議論にほかなりません。

そこでの問題は,人権と人権をどのように「調整」していくかという点にあります。これは結局,個々の人権ごとに検討していくべきだということです。たとえば,民主政を支える表現の自由は,きわめて重要な利益を保護するための,必要最小限度の制限のみが許される,というかたちで,ほかの「人権」（他人の権利・利益）との「調整」がはかられる,といった具合です。

ウエキさんの写真集出版の場合も,先ほどあげたような,「表現の自由」と,「見ない自由」や「青少年の権利」との調整ということをふまえて考えるなら,たとえば,性描写を含む写真集を出版する自由は,それを見たくない人や青少年の「人権」を保護するために,必要

最小限度の制限だけが許されるということになります。このように，人権相互の調整という発想からすると，ある人の自由を制限するためには，ある程度具体的な権利・利益の保護を理由とするものでなければなりません。そうだとしたら，たとえば「性的秩序の維持」などは，写真集の出版制限の理由としてあいまいすぎるのではないかという疑問があります。同じく，必要最小限度の制限だけが許されるというのであれば，写真集の販売を一切禁止するのは行きすぎではないか，たとえば青少年の目にふれるかたちの販売だけを禁止すればいいのではないか，という疑問も出てくることでしょう。いずれにしても，ある人権の制限が許されるかをめぐっては，問題となった人権の性質をふまえた個別・具体的な議論が必要になってくるのです。

もう一歩

　本章で紹介したような，「人権と人権の調整役」としての「公共の福祉」という考え方に対しては，近時「社会全体の利益」説から有力な批判があります。それによると，実際に人権制限が問題となる場面では，常に人権と人権の調整が行われるわけではないのであり，たとえば，ビラ貼りなどの表現の自由を規制する根拠として持ち出される街の美観の維持などは，個人の権利には還元できず，「社会全体の利益」としてしか説明できない，というのです。確かに，人権の制限を，常に「具体的な個人の権利」同士の調整と考えることには無理があるでしょう。しかしながら，本章でみたような「社会全体の利益」説の問題点も踏まえるなら，「人権と人権の調整役」説の発想を生かし，個々の場合における「人権」制限の根拠を，他者の何らかの権利・利益に関連づけて——たとえば，上の「街の美観維持」は「良好な社会環境を享受する各人の権利」などというかたちで——説明しようとする試みは，なお必要ではないでしょうか。

4 人権はだれのもの？
―― 外国人の人権

　日本国憲法の保障する基本的人権はだれにたいして保障されるのでしょうか？　まず思い浮かぶ答えは，「国民にたいして」というものでしょう。憲法第3章の標題自体「国民の権利及び義務」とありますし，条文をみても，たとえば，「国民は，すべての基本的人権の享有を妨げられない」(11条) とか，「この憲法が日本国民に保障する基本的人権」(97条) とかいった言葉が目につきます。憲法が，人権の主体として「国民」――正確には「日本国民」――を主に念頭においていることは間違いなさそうです。それでは，日本国民以外の人たちにたいしては，憲法の人権は保障されないのでしょうか？

外国人は政治活動ができないの？

　アメリカ人であるグロンさんは，語学学校の講師として働くために日本にやって来ました。彼は，日本に滞在するために，「教育」という資格（これを「在留資格」といいます）を与えられ，日本にいることのできる期間（これを「在留期間」といいます）は2年間と定められました。グロンさんは，英語教師として勤めるかたわら，自分の住む町内の草野球チームであるCチームに所属して，町内の人々とも交流を続けてきました。赤いヘルメットで知られるCチームの主砲となったグロンさんは，その気さくな人柄と巨体からくり出す豪快なホームランで人気を集め，町内会リーグで長年低迷していたCチームは，いちやく強豪チームへと生まれかわりました。町内の人気者となったグロンさんは，多くの日本人の友人もでき，彼らと親しくつき合うよ

うになりました。

　そうこうするうちに1年と半年が過ぎました。グロンさんは日本での語学講師と野球をさらに続け、日本についてももっと理解したいと思って、法務大臣に日本にもっと長くいさせてもらえるようにお願いしたところ、驚いたことに、「だめだ」という返事が返ってきました。説明によると、グロンさんの希望が認められなかったのは、彼が日本にいるあいだに行った政治活動のせいだというのです。

　問題の政治活動とは、日本の友人らのよびかけに応えて約3か月前に行った集会への参加と署名活動のことでした。これは具体的には、日本にいる外国人の待遇改善を求めるための活動であり、多くの日本人がふつうにやっている活動でした。グロンさんの場合も、数人の日本人の友人に混じって、集会に参加し街頭で道行く人に署名をよびかけただけで、だれかに迷惑をかけるようなものではなく、実際どこからもおとがめなどはありませんでした。それなのに、今になってなぜこんな仕打ちを受けなければいけないのでしょうか？　グロンさんと同じ町内会リーグの縦縞（たてじま）模様（もよう）のユニホームで知られるTチームに所属するモルテさんは、政治活動などしなかったため、さらに2年間日本にいられることになったというのに……。どうしても納得のいかないグロンさんです。

外国人にも人権は保障されるはずなのだが……

　日本にいる外国人が、政治活動を行った場合、どのような問題があるのでしょうか。これを、「外国人の人権」の問題として考えてみましょう。

　憲法の保障する基本的人権はだれにたいして保障されるのか、という場合、何かと問題になるのが、日本国民以外の人、つまり「外国人」です。誤解のないようにいっておきますが、ここで問題になる

「外国人」とは，あくまでも日本国内にいる外国人のことです。アメリカにいるアメリカ人や中国にいる中国人らにたいして，日本国憲法の人権保障が及ばないのは当然でしょう。では，日本国内にいるアメリカ人や中国人らにたいしては，日本国憲法の人権保障は及ぶのでしょうか？

　憲法が人権の主体として「日本国民」を主に想定しているのは間違いなさそうです。それでは，日本国民ではない「外国人」には人権は保障されないのか，というと，もちろんそんなことはありません。人権とは，人間が人間として当然にもっていると考えられる権利ですから（☞ *1*），日本国民であろうが外国人であろうが，「人間」である以上，当然に「人権」をもっているはずです。そうだとしたら，「人権」は，憲法により，日本国内にいるあらゆる人たちにたいして保障されるべきだということになりそうです。このような理由から，憲法の基本的人権は，日本国内にいる外国人にたいしても原則として保障されるというのが，現在の支配的な考え方です。

　もっとも，すべての人権が外国人に保障されるとまでは考えられていません。権利の性質から，外国人には保障されないと考えられるものもあります。たとえば選挙権（15条）などは外国人には認められないといわれます。「国民主権」（☞ *31*）という考え方からすると，日本の政治を担当する代表者を選ぶのは，主権を有する日本国民だけであり，このような主権の行使に直接かかわるという性質から，選挙権は外国人には保障されないというのです。また，生存権（25条）なども外国人には保障されないといわれます。生存権（☞ *29*）は，各人の所属する国の政府によって実現されるべき性質のものですから，外国人は，日本ではなくその外国人の所属する本国にたいして要求すべきだというわけです。

　グロンさんの行ったような平穏(へいおん)な政治活動は，日本国民であれば集

会・表現の自由（21条）として，問題なく認められるものです。そしてこのような集会・表現の自由は，国家に介入しないでくれと要求する「自由権」であり（☞ *1*），各人の所属する国がどこかは問題にならないはずの権利です。一般にそうした性質の権利は，外国人にたいしても保障されると考えられています。そのかぎりで，政治活動の自由は，憲法によって外国人にも保障されるのです。そうだとしたら，政治活動を行ったために，グロンさんが日本にいられなくなるというのは，おかしな話ではないでしょうか。

外国人の法的地位

グロンさんの問題を考えるにあたっては，外国人にかんする日本の法制度を最低限知っておく必要があります。日本にやってくる外国人について定めるのは，「出入国管理及び難民認定法」（入管法）という法律です。これによると，日本国内にいる外国人の多くは，たとえば，短期滞在（観光など），教育，研究，留学，興行（歌手，プロスポーツ選手など）などの「在留資格」を与えられ，一定期間だけ日本にいることのできる「在留期間」を認められたうえで，日本に在留することができます。在留期間が過ぎても，法務大臣に申請して新しく在留期間を認めてもらうことができます（これを「在留期間の更新」といいます）。グロンさんは，この在留期間の更新を不許可とされたわけです。

同じように外国人が政治活動を理由に在留期間の更新を不許可とされた事件の裁判で，最高裁判所は，更新の不許可は違法ではないと判断し，外国人の請求を退ける判決を下しました。

最高裁判所も，前述した支配的な考え方と同じく，憲法の基本的人権は，原則として外国人にも保障され，政治活動の自由も保障されるといいます。しかしながら，最高裁判所によれば，在留期間の更新を許可するかを判断するにあたって，法務大臣は，外国人の政治活動を

マイナス要素として考慮することもできる，というのです。要するに，「外国人にたいしても人権は保障されるが，そうした人権を行使したことを，法務大臣によってマイナスに評価されても仕方がない」という理屈です。その背景には，外国人の在留を許可するかを判断するときに，法務大臣には，法によって自由な判断の余地（これを「裁量（さいりょう）」といいます）が広く与えられているという理解があります。外国人の在留を認めるかどうかにあたっては，さまざまな国内外の事情にかんする政治的判断が必要だというのがその理由です。

しかしこの理屈でいくなら，結局のところ外国人の人権保障も，「絵に描いたモチ」ということになってしまいかねないのではないでしょうか。法務大臣に「裁量」があるとしても，外国人による正当な人権の行使をマイナスに評価することは許されないと考えることもできるはずです。

もう一歩

ここでは，主に外国人の人権の問題について考えてきましたが，「外国人」とは，正確には，日本国籍をもたない人たちのことをいいます。そして，同じ日本国内の「外国人」であっても，実はさまざまな人たちがいることに注意が必要です。たとえば，旧植民地出身者やその子孫のように，日本で生まれ育ち，日本を生活の場としている人たちについては，できるだけ日本国民と同じように人権が保障されるべきだといわれます。最近では，2018年の入管法改正により「特定技能」という在留資格が新設され，人材が不足する産業分野に，技能を有する外国人を受け入れることが可能になり注目を集めましたが，他方で，たとえば日本における難民認定率の低さや，技能実習生への賃金不払いなど，外国人の受入れや処遇をめぐってはさまざまな問題点も指摘されています。

5 会社にも人権?
──団体の人権

　ハルナさんは,大手貿易会社ウキタ商事の株主でした。ご存じのかたも多いと思いますが,大きな会社は,たいていの場合,「株」というものを発行してだれかに買ってもらい,事業を行うための資金を調達します。ある会社の株をもっている人は,「株主」といわれ,会社の利益に応じて一定の金額（配当）を受け取ったり,株主の集まり（株主総会）で議決権を行使したりできるほか,自分のもっている株を売ることもできます。ハルナさんも,ウキタ商事の株を買ってもっていたわけですが,このウキタ商事,ある日,大企業を優遇する政策をかかげるA政党に,1億円の政治資金を寄付しました。A政党と対立するB政党の支持者であるハルナさんは,自分が資金を出した会社が,自分の支持していない政党に寄付したことに腹を立て,ウキタ商事に賠償を求める訴えを起こそうと思っています。

会社のような「団体」にも人権は保障される

　ハルナさんとウキタ商事のような事件は,実際の裁判などでは多くの場合,問題となった会社の行為（ここでは政治資金の寄付）が,その会社の目的の範囲内のものかどうかによって判断されます。そうした判断の前提として,そもそも会社のような「団体」にも,憲法の保障する権利としての基本的人権は認められるのか,認められるとしたらどのような人権が,どの程度保障されるのかが問題になってきます。

　「基本的人権」というものを,人間が人間として当然に有する権利として理解するとき,そこにいう「人間」が,1人ひとりの生身の人

間を念頭においたものであることはたしかです。しかし、だからといって、会社のような「団体」には憲法の人権保障は及ばないということにはなりません。

　憲法の保障する権利や自由が、団体に一切認められないとしたら困ったことになるということは、ちょっと考えてみればわかるでしょう。出版社に出版の自由（21条）が認められなかったら、出版社の活動は成り立たないでしょうし、商事会社に営業の自由（22条☞ *27*）や財産権（29条☞ *28*）が保障されなかったら、やはり会社は活動していくことができないでしょう。

　憲法の保障する人権は、性質上可能なかぎり、日本国内の団体にたいしても保障されると一般に考えられています。各種の団体は、社会において現に重要な役割を果たしており、そうした役割を果たすためには、団体も自由に活動することが必要だからです。また、団体も、結局は1人ひとりの生身の人間の活動によって支えられており、団体に人権が保障されるということは、そうした構成員の人権保障と重なる、という面もあります。それは、「結社の自由」（21条☞ *23*）が、団体を結成する自由だけでなく、結成した団体の活動の自由をも保障していることからも導かれます。

　しかし、団体に人権が保障されるのは、あくまでも「性質上可能なかぎり」においてです（このあたり、外国人の場合と似ていますね）。団体は生身の身体をもっていませんから、生存権（25条☞ *29*）や奴隷的拘束・苦役からの自由（18条☞ *13*）、不当な逮捕からの自由（33条）あるいは不当な抑留・拘禁からの自由（34条）などは保障されませんし、1人ひとりの国民だけに与えられるべきだとされる選挙権（15条）なども保障されないと考えられています。

　それ以外の人権保障については、結局、問題となった「団体」と「人権」両方の性質に照らして考えていくということになります。た

とえば，宗教団体に信教の自由（20条☞ *17*）が，出版社に出版の自由（21条）が，大学などに学問の自由（23条☞ *25*）が保障されることに異論はないでしょう。しかし，団体にどのような人権が，どの程度保障されるか，判断の難しいケースもあります。

会社の政治活動の自由？

冒頭にあげた，会社の政治献金などもそうです。ハルナさんは，営利会社であるウキタ商事には，政治資金の寄付などといった政治活動をする自由はないと主張します。ハルナさん自身は，あくまでもウキタ商事の営利活動にたいして投資したのであって，自分が支持してもいない政党を経済的に支援する気はこれっぽちもないにもかかわらず，会社がそうした寄付をするということは，ハルナさんに自らの政治的信条に反する行為を強制することにつながるというのです。

これにたいして，ウキタ商事は，政治資金の寄付は会社がすることのできる行為だと反論します。大企業優遇政策をとるA政党を支持することは，結局は会社の利益にもつながることであり，そうした意味では，会社も政治活動をする自由を有するのであって，政治献金もその一環だというわけです。はたしてどちらのいい分に説得力があるといえるでしょうか。

団体の人権 vs. 団体構成員の人権

このような団体に許される活動の範囲をめぐる争いのなかで垣間見えてくるのは，団体の人権と，個人の人権の対立という図式です。

1つには，団体の人権と構成員の人権をどう考えるかという問題があります。うえの例でいえば，ウキタ商事の政治活動の自由——それが認められるとして——と，株主であるハルナさんの政治的信条の自由についての問題です。たしかに，ハルナさんのいうように，ある人

の出資している会社が、その人にことわりもなく、その人の支持していない政党に献金するということには、その人にたいして、自分の政治的信条に反する行為への協力を間接的ではあるにせよ強制するという側面があります。そうだとしたら、ハルナさんとしては、「自己の政治的信条に反する行為を強制されない自由」(19条)が侵害された気になるのも無理もないことかもしれません。

　しかし、ウキタ商事の側にもいい分があります。まず、問題となった政治献金は、会社の有する財産の一部から支出したものであり、ハルナさんの出資金との関連は必ずしも強くないという主張ができるでしょう。そうだとしたら、ハルナさんに政治献金への協力を強いたとは一概にはいえないはずです。また、会社の株主という地位は、株を売ることによって手放すことができるのですから、会社の方針が気に入らないのなら、株を売って株主の地位を放棄すればいいという考え方もあります。「イヤならやめろ」とは、いささか乱暴な話ではありますが、「やめる自由」があるということは、ハルナさんへの人権侵害はなかったのだ、といっていくための理由にはなりそうです。

団体の人権 vs. 一般国民の人権

　これまでは、団体とその内部の個人にかんする話でしたが、団体の人権と個人の人権の対立という図式は、団体とその外部の一般国民とのあいだでも生じる可能性があります。つまり、ウキタ商事のような大会社に政治活動の自由を認めると、社会的・経済的に強い力をもつ会社の利益のみが政治に反映されることになってしまい、その結果として、個々の国民の政治的な意見や利益は政治の場に届きにくくなり、一般国民の政治的権利が不当に侵害されることになってしまうのではないか、という問題です。

　この点については、会社であっても、日本の政治のあり方には重大

な利害関係を有しており,納税の義務も果しているのだから,それに応じて,政治活動を行うこともできるのだという見解もあります。また,政治献金などを通じて,議会制民主主義（国民から選ばれた代表者によって構成される議会を中心に,民主的政治を行おうという考え方）に欠かすことのできない政党の健全な発展に寄与することも,会社というものに期待される役割だ,と説かれることもあります（☞ *31*, *32*）。

しかしながら,前述したように,もっぱら会社の利益のみが政治に反映され,本来政治の主人公であるはずの1人ひとりの国民の政治的権利がないがしろにされてしまうとしたら,やはり問題なのではないでしょうか。会社の政治活動の自由は許されるのか,許されるとしたらどの程度なのか,じっくり考えてみる必要がありそうです。

もう一歩

ある団体が政党などに献金をしたという事例でも,ハルナさんとウキタ商事の場合と異なり,団体の構成員に「やめる自由」がなく,しかも構成員の負担した出費と政治献金とのあいだに関連性が認められる場合には,話はまたちがってきます。世間には,弁護士会や税理士会のように,職業の専門性や公共性を確保するために加入を義務づけられ,会員（弁護士や税理士）に脱退の自由が認められないような団体もあります（これを「強制加入団体」といいます）。たとえば,ある税理士会がA政党に政治献金をしようとして,そのために,その税理士会に所属する税理士全員から特別会費を徴収した,というようなケースは,A政党を支持する気のない税理士たちにとって,自己の政治的信条に反する行為を強制されたという事実が,がぜん現実味を帯びます。政治献金という事例1つとっても,団体の性格により,評価は大きく異なってくるといえます。なお,このような,団体の人権と個人の人権の調整をめぐる問題については,次の *6* も参照して下さい。

6 人権はだれにたいするもの？
―― 私人間における人権

のび太「わーん，ケンポウ違反だ！　ジンケン侵害だ！」

ドラえもん「まったく，ちょっと『憲法』とか『人権』とか覚えたらやたらと使いたがるんだから……いったいどうしたんだい？」

のび太「ジャイアンが，ボクの貸したマンガを返してくれないんだ。これって財産権の侵害だよね！？　ケンポウ違反で訴えてやる！」

ドラえもん「そりゃ無理だよ。ふつう憲法違反だといって訴えることができるのは，国を相手にするときであって，ふつうの人たち相手じゃできないんだ。」

のび太「えー。そんな！　それじゃクニが関係してこないかぎり，ジンケンの出番は全然ないというわけ？」

ドラえもん「うーん，そうとばかりもいい切れないんだけど……。」

「基本的人権」は本来「国家」に向けられた権利である

憲法が人権を保障するというとき，ふつうそれは，一般の人々の人権を「国家」が侵害することのないようまもっていることを意味します。こうした一般人，正確には国家または公的立場を離れた人々のことを「私人（しじん）」とよびます。また，ここにいう「国家」には都道府県や市町村など「地方公共団体」も含まれます。基本的人権とは，こうした意味の「国家」にたいして，「私人」が主張することのできる権利だというわけです。

人権の歴史の箇所でみたように（☞ *2*），「基本的人権」は，常に国家を相手にして主張されてきました。一般に，国家にあって私人にな

いもの，それは「権力」です。相手を強制的にしたがわせることのできる力である「権力」をもっているからこそ，国家は，私人から税金というかたちでお金を徴収したり，犯罪被疑者（容疑者）の逮捕というかたちで身体を拘束したりすることができるわけです。

このような「権力」は，国を治めるためには必要なものです。しかし，権力がことあるごとに国民の権利・自由を侵害してきたのも事実です。国家は，権力によって，国の政策を批判する考え方や出版物をおさえこんだり，人々の金銭や物品を強引に調達したりしてきました。権力は濫用されやすいのです。このような国家の権力から私人をまもるのが，基本的人権の，ひいては憲法の主な役割なのです（☞ **42**）。

| 「私人」のあいだでの人権保障？ |

私人と私人のあいだには，このような権力関係が生まれてくることはふつう考えられません。私人間について規律するのは，憲法ではなく，民法をはじめとした「私法」です。私人間についての民法の基本的な考え方は，「あなたたちは互いに自由で対等な関係なのですから，お互いの関係は自分たちの考えで自由に話し合って決めてください」というものです。これを「私的自治の原則」といいます。この原則があてはまる場面では，権力を相手にする「人権」の出番はありません。

では，私人間では，憲法の保障する「人権」の出番は一切ないのでしょうか？　次のような例を考えてみましょう。

大学卒業を間近に控えたニシドさんは，大手の貿易会社ウキタ商事の採用試験を受け，最終試験の面接までこぎつけました。今でこそ穏和な好青年でとおっているニシドさんですが，大学3年までは政治団体に所属し学生運動のリーダーを務めた時期もありました。ウキタ商事の面接官は，イジワルにもニシドさんに，学生時代に政治活動をしてこなかったかをきいてきました。そんなことをきかれるのを心外に

思ったニシドさんは,「政治活動などしておりません」とついウソをついてしまったのです。こうして無事,ウキタ商事から内定をもらうこととなったニシドさんですが,その後,面接時についたウソが発覚してしまい,そのことが理由となって内定は取り消されました。

これからウキタ商事のためにがんばって働こうと思っていたニシドさんは,納得できません。たしかにウソをついたのは悪いことかもしれませんが,その前にそもそも政治活動歴などをきいてきた相手が悪いのではないでしょうか……。もし相手が国だったら,人の思想・信条あるいはこれと関連することがらを,とくに理由もないのに無理矢理いわせることは,憲法19条で保障された思想・良心の自由を侵害するものであり,許されることではありません。しかし相手は,私企業であるウキタ商事,つまり「私人」です。ですからやはり,この事件についても,憲法の保障する人権は無関係だ,ということになるのでしょうか?

人権 vs. 人権

この問題を考えるためには,次の2つの点に注意が必要です。1つには,ウキタ商事も私人であり「人権」の主体であるということです。実は会社などにも人権が保障されるかという点については問題もあるのですが (☞ 5),会社に経済活動の自由が認められることについてはまず異論はありません。そうだとすると,会社経営のために,どのような人を,どのようにして雇うかを決める自由——国家には認められない自由——を,ウキタ商事はもっているということになります。

しかし他方で,ウキタ商事のような大企業は,事実上大きな「権力」をもっているといえるのではないか,という問題があります。巨大な資本と多数の従業員を抱え,年に数千億ものお金を動かすウキタ商事の,社会的・経済的な力は莫大なものであり,人々の意識と行動

に大きな影響力を及ぼします。それはニシドさんのような1人の私人にとっては、国家権力ならぬ「私的権力」以外の何物でもないのではないでしょうか。そこでは、対等で自由な私人どうしの関係を念頭においた「私的自治の原則」がそのままあてはまるとは思われません。

人権保障を「間接的」に及ぼそうという考え方

憲法の人権保障が、私人間にも及ぶかをめぐっては、学者のあいだでも考えが分かれています。まったく及ばないとすると、私企業などの「私的権力」にたいして、弱い立場の私人は保護されないことになってしまわないかという問題があります。しかし、人権保障をそのまま及ぼすと、国家とちがい「人権」の主体でもある私企業の自由をどう考えるかが問題になってきます。

こうしたなかにあって有力なのは、憲法の人権保障を私人間にも、「間接的」に及ぼしていこうという考え方です。これは、私人間に憲法を直接適用はしないが、私人間にたいして用いられる民法などの規定を解釈し適用するときに、必要に応じて、憲法の保障する人権の考え方を盛り込んでいく――そうしたかたちで、人権保障の効力を「間接的」に及ぼしていく――というものです。

私人間の一般的なことがらを定めた規定として、たとえば民法90条があります。そこでは、「公の秩序又は善良の風俗に反する法律行為は、無効とする」と定められています。この「公の秩序又は善良の風俗」(公序良俗)に違反したかどうかを判断する場合に、憲法の人権保障の考え方も取り入れようというわけです。この考え方によると、私人間の問題に憲法が直接出ていくわけではありませんが、民法などを背後からアシストしていることになり、そういう意味ではまったく出番がない、というわけでもありません。

この考え方によった場合でも、人権保障の考え方を、民法の解釈に

どのように反映させていくかは、やはり問題です。結局のところ、問題となった私人間の関係はどのようなものか、また、そこで問題となった人権の性格あるいはその制限とはどのようなものか、などを考えて判断していくことになります。

ニシドさんへの内定取消し事件の場合、一方では、ウキタ商事も私企業としてだれを雇うかについて決定する自由をもっており、面接でウソをつくような人物を雇用できないと判断されたとしても仕方がない、という考え方もあるでしょう。しかし他方で、ニシドさんがたずねられたのが、政治的信条という個人の内心にかかわることがらであり、本来回答を強制されるようなものではなかったこと、ニシドさんのついた「ウソ」もそうした内心をまもるためにやむをえず行ったものであったことなどからすると、思想・良心の自由（19条）の保障の趣旨（☞ 16）をここでも考慮したうえで、ウキタ商事がニシドさんにたいして行った内定取消しは、民法90条にいう公序良俗に反する法律行為であるとする考え方も、成り立つのではないでしょうか。

もう一歩

「人権は国家に向けられた権利である」が、憲法の人権規定のなかには、国家だけでなく私人にたいする権利の保障でもあると考えられるものもあります。投票の秘密を保障する憲法15条4項や、奴隷的拘束からの自由を保障した18条（☞ 13）などです。その意味では、「対国家的権利としての人権」という図式が、常に成り立つわけではありません。

なお、ここで扱った「私人間における人権」の問題と同じく、「人権の妥当範囲」という点では、「公務員関係と人権」も問題になります。この点に関しては、国家のために働く「公務員」であっても、職務を離れたら「私人」であり、可能なかぎり人権も保障されるべであると考えられます。実際には、一般職公務員の政治活動の禁止や、公

務員の労働基本権の制限（☞30）が憲法に違反しないかをめぐって，裁判でも争われてきました。

二重の基準

　二重の基準（ダブルスタンダード）と聞くと，みなさんは相手によって態度を変えるケシカラン人を思い浮かべるかもしれません。しかし，人格的に優れている多くの憲法の先生は，基準は二重がよいといっています。

　えっ，なんで？

　もちろん，憲法の先生はケシカラン人ではありません。ここでいわれている二重の基準とは，「精神的自由を規制する立法の合憲性は，経済的自由を規制する立法よりも，とくに厳しい基準によって審査されなければならない」という考えのことです。なぜ，経済的自由よりも精神的自由の方が大事なの？　わたしは，この世はゼニがいちばん重要と思っているのに……と疑問に思うかたもおられるかもしれません。"みんなちがって，みんないい"（☞8）のであれば，たしかにそのとおりです。しかし，憲法でいう二重の基準は，精神的自由が大事であるという価値判断に支えられているのではありません。むしろ，精神的自由が不当に制約されると民主政治のプロセスそれ自体が傷つけられてしまうので，裁判所が積極的に介入して民主政治のプロセスを回復する必要がある，だから厳しく審査するのだ，という考え方なのです。

（西土　彰一郎）

Ⅱ 人権規定——包括的人権

7 菊のパスポートがもつ意味とは？
──日本国民の定義と国籍

　わたしたちが海外に行くとき，必ずもって行かなければならないものがパスポート（旅券）です。日本のパスポートは赤と紺の2色（赤は10年用で，紺は未成年者および成年の5年用），どちらもゴールドの菊のマークが目印で，表紙を見れば日本の旅券であることがすぐにわかります。出入国審査では，本人確認のために必ずパスポートの提示が求められます。つまり，パスポートは，わたしたちが日本国民であることを公的に証明してくれる重要なものです。では，日本国民であるということはどのようにしてきまるのでしょうか。親が日本国民なら，その子も常に日本国民になれるのでしょうか。それとも，日本で「オギャーッ」と産声をあげればだれでも日本国民になれるのでしょうか。

| 日本人だけど日本国民ではない？ |

　菊のマークが入ったパスポートをもつことができるのは，日本国籍をもつ日本国民だけです。そもそも国籍とは，その国の国民であるという資格です。すなわち，日本国籍をもつということは，その人が日本国の国民である資格をもっているということです。逆に，日本国籍をもたない人は日本国民たる資格をもたないので，外国人として扱われます。たとえば，花の都パリで生まれ，フランス語を話す青い瞳のパリジェンヌも，日本国籍をもっていれば日本国民です。逆に大阪で

生まれ，たこ焼きと阪神タイガースをこよなく愛する関西在住のおっちゃんでも，日本国籍をもっていなければ外国人です。つまり，日本国民であるかどうかは，決して見た目やルーツではなく，日本国籍をもっているかどうかできまるのです。

ところで，国籍はたんに国民としての資格にとどまるものではありません。たとえば選挙権などの公的資格をもつために，あるいは，一定の社会保障給付（たとえば生活保護）などの公的サービスを受けるうえでも，国籍は国家と個人を結びつける重要な法的地位でもあります。では，そんなにも重要な国籍はどのようにしてきまるのでしょうか。国民が国家の一員として大切な存在であるとすれば，憲法がその資格について定めていてもおかしくありません。ところが，多くの国の憲法は，国民たる資格としての国籍について直接定めておらず，日本国憲法も詳しい内容は「国籍法」という法律に委ねています。いいかえるなら，生まれてきた子に国籍を授けるのは憲法ではなく，はたまた子の親でもなく，法律なのです。

| 日本国民になるために――日本国籍を取得する方法 |

日本国民たる資格，すなわち日本国籍を取得するには，現在，①出生，②届出，③帰化の3つの方法があります。①の出生による場合は，(a)血すじにならって親と同じ国籍を取得させる血統主義と，(b)子に生まれた国の国籍を取得させる出生地主義の2つがあります。日本は(a)の血統主義を原則とし，例外的に(b)の出生地主義を認めています（国籍法2条）。一方，②の届出によって日本国籍を取得できるのは，子が日本国民である父に出生後に認知された場合です（国籍法は日本国民である母が認知した場合も規定しています〔3条1項〕が，子を産んだ女性が日本国籍をもつ母であるなら，子には自動的に日本国籍が与えられるため，母の認知により日本国籍を取得するということは通常考えられません）。

最後に, ③の帰化による場合とは, 一定の要件をみたした外国人が, 法務大臣の許可をえて国籍を取得する方法です (国籍法4条以下)。たとえば, 海外からやってきて長年にわたり日本で活躍したスポーツ選手や日本国民を配偶者 (夫もしくは妻) にもつ人が, この方法で日本国籍を取得するケースは少なくありません。ただし, 日本人の親のもとで生まれた子であっても, (b)を採用する国で生まれたために出生により外国の国籍を取得した日本国民の子は, 重国籍の発生を予防するために出生後3カ月以内に親が子の日本国籍を留保するとの意思表示をしていないと日本の国籍を失うことになります (国籍法12条, 戸籍法104条)。最高裁は, この国籍留保制度については合理的なものと判断していますが, はたしてそれでよいのでしょうか。

| こんな事件があった・その1——国籍法はああ無情？ |

　かつて国籍法のもとでは, 日本国籍をもつ親が子に自分と同じ日本国籍をもたせたいと望んでも認められないことがありました。以前は, 父が外国籍, 母が日本国籍の夫婦のあいだに生まれた子は, 母と同じ日本国籍を取得することができませんでした。なぜなら, 1984 (昭和59) 年改正前の国籍法のもとでは, 原則として父が日本国籍である場合にだけ, その子も日本国籍を取得することができるとする, いわゆる父系優先血統主義を採用していたからです。つまり, 父が日本国籍の場合は (母の国籍にかかわらず), その子も自動的に日本国籍を取得することができるのにたいして, 父が外国籍で母が日本国籍の場合には, 子は日本国籍を取得することができなかったのです。子の国籍取得の問題であるにもかかわらず, 日本国籍をもつのが父か母か, つまり親の性別によって子の国籍取得の可否がきまるのは, 性にもとづく不合理な差別にあたるとして裁判で争われました。裁判所は, 当初, 国籍取得の問題は国会の判断に委ねられているので, 裁判所が口出し

するべきではないとして冷たい態度をとっていました。しかしその後，父系優先血統主義は男女平等に反するのではないかとの国会の配慮から，国籍法は改正され，父または母のどちらか一方が日本国籍なら子も日本国籍を取得できるとする父母両系血統主義に改められました。

こんな事件があった・その2――さらなるハードルとは？

ところが，父母両系血統主義になっても一件落着とはいきませんでした。なぜなら，国籍法にはなお大きな問題が残っていたのです。それが明るみになったのが2つめの事件です。

問題となったのは，子の両親が結婚していない，すなわち法律上の夫婦ではないというケースです。もちろん，そのような男女のあいだに生まれた子（婚外子☞*11*）であっても，日本国籍の父が，子が生まれる前に認知すれば，その子は日本国籍を取得することができます。また，母が日本国籍である場合も，父の認知に関係なく子は日本国籍を取得できます。ところが，以前の国籍法のもとでは，日本国籍の父に認知された子であっても，それが生まれた後の認知の場合には，さらに父と母が結婚しなければ日本国籍を取得することができませんでした。そこで，出生前であれ出生後であれ，同じく認知を受けているにもかかわらず，出生後の認知の場合にだけ父母の結婚を求めるというのは差別にあたるとして裁判で争われました。そもそも，なぜ血統主義が採用されているかというと，日本国とつながりをもたない者が日本国民になるのはおかしいという理由によります。しかし，両親の結婚という，生まれてきた子にとって自分の意思や力ではどうすることもできない事情によって，子と日本国との結びつきの程度を決めることの方が，よほどおかしいのではないかとの指摘がなされました。さすがに最高裁判所も，両親の結婚によってはじめて子に日本国籍を与えるだけの日本国との密接な結びつきが生じるとする考えは，家族

のあり方が多様化する現実にフィットしないとして、子の国籍取得に父母の結婚を求めることは不合理な差別にあたると判断しました。その結果、国籍法の内容が改正され、現在では出生後の認知であっても、届出をすれば日本国籍を取得することができます。

国籍は、やめてもいいけど無しはダメ！

国民が「お国のために」奉仕する時代が終わり、国家が個人のために存在するという個人主義が現在の人権保障の基礎にあります（☞*8*）。そのため、今日では国籍の取得や離脱についても個人の意思を尊重しようという考えが国際的な標準であり、日本国憲法も国籍離脱の自由を保障しています（ただし、サッカーの強いブラジルやアルゼンチンのように、国籍離脱の自由を認めない国もあります）。ただ、どこの国にも所属したくないとして、無国籍になる自由があるかというと、個人の利益保護や国際関係の観点から、そのような自由は認められないと考えられています。そのために、国籍離脱には、少なくともどこかの国の国籍を取得することを条件に認めるという制約がともないます。しかし、たとえばオリンピックの代表選手になるために日本国籍を放棄して他国の国民になることは自由として認められます（たとえ社会的に批判されようと、憲法上はなんの問題もありません）。

もう一歩

本文でもふれたとおり、法的には日本国籍の有無によって日本国民か外国人かがきまります。それとの関係で、日本国籍をもたない者、すなわち外国人の日本国内での人権保障が問題になります。一般に外国人の人権享有主体性といわれる問題です（☞*4*）。国内在住の外国人について、どのような自由・権利がどこまで保障されるのかは難しい問題として憲法学者のあいだでも意見が分かれるところです。

8 憲法のもっとも大切な考え方とは？
――「個人の尊重」

"みんなちがって，みんないい"

この言葉は，金子みすゞの「わたしと小鳥と鈴と」という有名な詩の一節です。詩の内容は，自分を小鳥や鈴とくらべて，小鳥や鈴にできることはわたしにはできないが，小鳥や鈴にできないことがわたしにはできる，"みんなちがって，みんないい"というものです。そこには，それぞれがまったく異なる存在であるが，それぞれが独自のよさをもっており，だからこそ鈴も小鳥もわたしも，その存在に価値をみいだせるという趣旨が読みとれます。実は，これを1人ひとりの人間の存在におきかえて，その詩と同じ内容を示すものが憲法のなかにもあります。それが，憲法13条前段の「個人の尊重」原理です。

三大原理が必ず試験に出るのはなぜ？

日本国憲法の三大原理である国民主権，平和主義，基本的人権の尊重は，通常，小・中・高の社会科の関連科目の授業で必ず勉強する内容です。さらに，この3つの言葉以外にも，たとえば国民主権にもとづく議会制民主主義（☞ *5*, *32*）や統治組織（政治のしくみのこと）の基本原理である権力分立なども，なんとなくみなさんの記憶にあるのではないでしょうか。なぜなら，いわゆる三大原理も，民主主義や権力分立も，重要なキーワードとして常に教科書に太文字で登場し，試験前には必ずといってよいほど暗記させられたからです。でも，なぜそれらは教科書やテストの常連メンバーなのでしょうか？ それは，どれもが憲法を支える主要な骨格であり，憲法によってさらに具体化

される大切な基本原理だからです。

では、なぜそれらの原理が憲法では重要とされるのでしょうか。その答えは、1789年のフランス革命の成果であるフランス人権宣言（「人および市民の権利に関する宣言」☞*2*）のなかに示されています。まず「人は、権利において、生まれながらにして自由かつ平等」（1条前段）であることを宣言し、「すべての政治的組織の目的は、人間の生まれながらの、かつ時効によって消滅することのない自然権の保全である」（2条）と続きます。そして、「いかなる主権の原理も本質的に国民に存する」（3条前段）との規定を経て、「権利の保障が確保されず、権力の分立が定められていないすべての社会は、憲法をもたない」（16条）という文言にたどり着きます（この16条の言葉は、憲法の特徴をもっともよくいい表したものとして有名です）。少し難しいので簡単に説明すると、「人間はもともとみな生まれながらにして自由・平等だから、それを人間ならばだれしもが当然に有する自然権（現在の人権のルーツ）として保障することが国の政治のいちばんの目的であり、そのためには国民主権や権力分立原理というシステムが必要だから、政治のきまりごとである憲法にきちんと定めておこう」ということです。とすると、憲法にしたがって政治をする国家は、1人ひとりの人間の自由・権利の保障を目的にしているということになります。いいかえると、わたしたちの自由や権利、すなわち基本的人権をきちんとまもるためには、必ず憲法という国のきまりが必要だということです。

| 個人がすべての価値の源（みなもと）

ではなぜ、1人ひとりの人間がもつ基本的な自由や権利が保障されなければならないのでしょうか。答えは、1人ひとりの人間が「個人」として大切に扱われなければならないからということになります。このような考え方を「個人の尊重」原理（13条）といいます（あるい

は「個人主義」ともいいます)。実は、わたしたちの自由や権利を保障するために必要とされる三大原理やそのほかの基本原理は、もともとこの「個人の尊重」という同じ1つの考え方から出発したもので、どれもがそれをわかりやすく具体化するために枝分かれしたものにすぎません。いいかえると、1人ひとりの人間を「個人」として大切に扱うよう国家に要請する憲法13条前段の「個人の尊重」原理は、憲法のいわばいちばん根っこにあるもの、すなわち憲法のもっとも重要で基本的な価値観を宣言したものなのです。そして、それは、すべての価値の源は1人ひとりの「個人」にあるととらえ、個々人をもっとも大切にしようという考えの表れであり、基本的人権の保障の基礎になるだけではなく、憲法の根幹となる原理・価値観といえます。

| 全体よりも個人が大切！ |

では、「個人の尊重」原理がなぜ憲法のもっとも重要で基本的な価値観の表明になるのでしょうか。また、そもそも1人ひとりの個人を尊重するとはいかなる意味なのでしょうか。一般に、それは「個人が国家のためにあるのではなく、国家が個人のためにある」という意味だといわれます。

これは、過去の歴史における経験を紐解けばすぐにわかります。戦前の日本においては、個人のえがいていた人生がまったく意味をなさないような状況に追い込まれること（たとえば、おいしいものをお腹いっぱい食べる、高校野球で甲子園に出場する、研究者になってノーベル賞を目指す、好きな仕事につく、恋をする、家族をもつといった夢や希望が否定されてしまうという状況）が、あたり前のできごととしてありました。そして何よりも、無益な戦争によって、国家のため、社会のため、みんなのためにと、多くの尊い命が失われたのでした（これはまだ、ほんの77年ほど前に実際にあった話です）。しかし、そのような現実は、個

人の存在を犠牲にしてでも国家や社会という"全体"をまもることが重要だとする考えにもとづきます（このような考え方を「全体主義」といいます）。すなわち，家族や友だち，恋人という現実に存在する個々人の集合体としての国家ではなく，ぼんやりとしたイメージのなかになんとなく存在する抽象的な「全体」あるいは「集団」という存在の国家や社会を優先し，その抽象的な存在が，具体的な存在である個々人に犠牲になることを強制したのでした。

　はたしてそのような考え方が正しいといえるでしょうか？　答えは"NO"です。全体のためにたった1人の人間も犠牲にしてはならないということは，容易に想像できるでしょう（みんなのためにあなたやあなたの大切な人が犠牲になるということをイメージしてみてください）。だからこそ，憲法13条前段の「個人の尊重」原理は，戦前の明治憲法のもとでの全体主義を否定し，全体ではなく，個別具体的に存在する1人ひとりの個々人こそが大事であると考えます。さらに，その「個人の尊重」こそが，まさしく国家の存在意義であるとの考えを表明しているのです。

"人はみなちがう"が出発点

　では，なぜ1人ひとりの個々人が大切にされ，尊重されなければならないのでしょうか。その答えは，冒頭で紹介した詩の内容のとおりです。簡単にいうと，1人ひとりがそれぞれ独自の価値をもつちがう存在であり，だからこそ人はみな，代わりのきかない"only one"の存在，唯一無二の存在といえ，それぞれ尊重されなければならないということです。いいかえると，人間のすばらしさはまさに人とちがうところにあり，だからこそ，そのちがいをお互いに認めあい，受けいれようということになります。これが，近年主張される「多様性社会での共生」ということです。

これを簡単な例で示してみましょう。もし国民的アイドル・グループのメンバー全員が同じ顔・姿のイケメン集団だったら、あるいは癒し系の天使のようにかわいい女の子ばかりの集まりだったらどうでしょうか。いかにカッコよくイケメンであっても、また癒し系のかわいい女の子であっても、同じ顔・姿かたちの人物が複数いればなんの魅力もありません。アイドル・グループのメンバーは、1人ひとりが"only one"の存在であるからこそ魅力的であり、その個人としての存在に価値をみいだせるのです。その証拠に、ファン投票で毎回1位の人が入れかわっても、その1位のメンバーにすべての票が集中するということはまずありえません。それぞれ異なるキャラクターで構成されているからこそ、グループになっても魅力的なのです。さらに、集団としてもほかとは"ちがう"魅力をもつグループだからこそ、一時的な人気にとどまらず活躍し続けるのでしょう。

　アイドル・グループと同じことが国家にもあてはまります。つまり、1人ひとりが代わりのきかない尊い存在だからこそ、その個人の集合体が国家という全体を形成することに意味を与え、だからこそ、そのような全体としての国家は、それを構成する具体的で1人ひとりの尊い存在である個人を大事に扱わなくてはならないのです。

| "only one"と"No. 1"――どっちがいいの？ |

　ところで、"only one"と"No. 1"はどちらがよいというものではありません。みんなが"only one"だからこそ、そこにはちがいが存在し、その結果、1人ひとりが"No. 1"にもなりうるのです。"No. 1"がいるということは、みんながちがう存在であることにほかなりません。個々のちがいは、あなたがあなた、わたしがわたしであるという証、すなわち、あなた、あるいはわたしの個人としての価値だということができます。そして、そこでは、わたしたち1人ひとりが自分で考え、

自分のしたいことを自由に行い,自分の人生を好きに生きる(すなわち自己決定できる)という個人像が前提となっています。「自己決定できる」ということは,みなさんが"ありのまま"に自分らしく生きられるということです。その意味で,「個人の尊重」原理は,やはり基本的人権の本質としての個人の自己決定そのものの保障でもあるのです。

もう一歩

　「個人の尊重」原理の内容を実現するために,ときには個々人に相当のガマンが求められることがあります。また,他者との衝突を回避するために,あなたが一歩ゆずらなければならない場合もあります。たとえば,医療崩壊を回避するために,時として命の危険があるにもかかわらず感染症にかかっても軽症の場合は自宅で放っておくという政策がとられることもあります(これは,個人を尊重しているといえるでしょうか)。そこに,個人の自己決定,いいかえれば人権としての自由の制約原理,つまり公共の福祉(☞ *3*)の内容が秘められています。

　また,個人として尊重されるためには,自分の決めたことにきちんと責任をとることができる自立した存在でなければなりません。しかし,なかにはさまざまな事情で自立できない弱い立場の人もいます。そのような弱い立場の人たちが自立した個人として自己決定できるようにサポートすることも,「個人の尊重」原理には当然含まれ,それは,自由権だけでなく社会権の基礎としても機能します。

9 幸せになりたい！
——包括的人権と幸福追求権

　あなたは今，幸せでしょうか。今現在，幸せな人もそうでない人も，幸せになりたくないという人はいないでしょう。だれの心にも「幸せになりたい」という気持ちはあるはずです。では，「幸せ」ってなんでしょうか。この問いにたいする答えはきっとばらばらです。なぜなら，人はみな，ちがうからです（☞ *8*）。人がちがえば，当然，幸せのとらえ方もちがっていてあたり前です。では，あなたにとって幸せとはなんでしょうか。どんな人生をあなたは幸せだと思いますか。

「幸せになる権利」は憲法で保障されているか？

　だれもが「幸せになりたい」と願うことに疑いはないとして，憲法に「幸せになる権利」なんて，そんなステキな人権があるのでしょうか。憲法の条文を探してみると，あいにく「幸せになる権利」はないものの，「生命，自由及び幸福追求に対する国民の権利」（13条後段）という言葉があります。この言葉はアメリカ独立宣言（1776年）に由来し，通常は，「幸福追求権」とよばれています。ではなぜ，「幸せになる権利」ではなく，「幸せを追い求める権利」なのでしょうか。

　たとえば，「大好きな人と結婚して温かな家庭を築く」，「公務員になって堅実な人生を送る」，「世紀の大発明をしてノーベル賞をとる」，「自分の歌や小説で多くの人に感動を与える」，「政治家になってこの国をよくする」，あるいは「毎日おいしいものを食べて暮らす」や「大好きなアイドルの追っかけをする」など，幸せのかたちは実にさまざまです。人それぞれ幸せのかたちがちがうということは，それを

実現する方法だって当然ちがってくるはずです。そのため，憲法はすべての人にあてはまる「これぞ幸せ！」なるものを決めることができませんし，それを実現する手段だって決められないのです。だから憲法は，それぞれの人が思う幸せを自由に追求するための権利，すなわち「幸福追求権」を保障しているのです。幸せとは結局，他者に与えてもらうものではなく，自分で追い求め，つかみ取るものなのです。

わたしがわたしらしく生きるために

「幸福追求権」は，「個人の尊重」（13条前段）という国に課せられた義務に対応する国民の権利であり，1人ひとりの人間が自分らしく生きていくために必要不可欠な権利をひとくくりに保障したものと考えられています。「わたし」という人間が，1人の人間としてわたしらしく生きるということは，まさにわたしが自由に考え，わたしの思う人生を自由に生きるということです。自分らしく生きるということは，すなわち自分の幸福を追求し，実現することであり，幸福追求の根幹にあるのは，自由そのものといえます。

ところで，人権が「人間が人間らしく生きるために必要不可欠な権利」だとすれば，それは何も憲法で個別に保障されているものにかぎりません。憲法の条文に並んでいるのは，人間が人間らしく生きていくためにこれだけはどうしても必要と思われる，歴史的にも重要なものばかりです。そのため，憲法の条文にはないけれど，実は人権の重要な仲間として考えられるものもあります。では，そのような権利は憲法で保障されていないのでしょうか。この問題を考えるために役に立つのが幸福追求権です。

新しい人権の代表選手──プライバシーの権利

日本国憲法が誕生したのは戦後間もない1946（昭和21）年のことで

す。その後、時代の変化とともに科学技術が発展し、パソコンやインターネットという画期的な技術が開発されました。1980年代に登場した携帯電話は今や1人1台ともいわれ、インターネットや携帯がないとわたしたちの仕事や日々の生活はたちゆかず、社会は機能しないといっても過言ではありません。しかし、それらは便利な一方、実はとても困ったものでもあります。ご存じのとおり、だれもがスマートフォンなどの携帯を使って写真や動画をとり、それをSNSを利用して不特定多数の人に広く公開することができます。そして、今や一度外にでた情報はまたたく間に拡散して、半永久的に残ってしまう危険もあります。でも、もしその写真や動画がだれにも知られたくないあなたの「秘密」だったらどうでしょうか（人に見られたら「もう生きていけない！」というような自分の恥ずかしい姿の写真や動画を想像してみてください）。あなたの秘密が、あなたの知らないところで勝手に1人歩きし、大多数の人の目にさらされることになったら……。これほど恐ろしいことはありませんよね。

すでにおわかりのとおり、プライバシーがまもられなければ、およそ自由な生活など成立せず、幸せになるどころか病気になってしまいます。携帯はたしかに手軽で便利で、生活に欠かせない重要なアイテムではありますが、わたしたちのプライバシーをおびやかす重大な危険性をも秘めています。そのため、プライバシーの権利は、今ではわたしたちの人間らしい生活になくてはならない不可欠の権利であると考えられています。

幸福追求権の役割——「新しい人権」の根拠と補充性

プライバシーの権利に代表される「新しい人権」は、それを保障する個別の条文が憲法にはありません。そのため、それらは13条の「幸福追求権」で保障されると考えられています。なぜならば、「幸福

追求権」とは人間が人間らしく生きるために必要不可欠な権利，すなわちすべての人権を総称したものだからです。そして，時代の経過や社会の変化にともなって発生する予想もしなかった事態に対応し，新たに登場する権利をカバーするのが幸福追求権の重要な役割といえます。実際に，現在，「新しい人権」として認められているものには，プライバシーの権利のほか，名誉権や人格権（生命・身体，信用など，その人がその人らしくあるために重要な非財産的利益）などがあります。

　幸福追求権が人権の総称だとすれば，憲法でそれだけを保障しておけば十分ではないかと思われるかもしれません。しかし，フランス人権宣言の時代から，人権とされる自由や権利はある程度の内容を示して「○○の自由」というように個々の条文で保障されるのがふつうです。そのために，表現の自由や職業選択の自由といったものもたしかに幸福追求権の内容にはなるのですが，それらを幸福追求権として保障されているとわざわざいう必要はありません。幸福追求権は，たしかに人権の総称ですが，そのもっとも重要な役割は，まさに憲法の条文にはっきりと書かれていないけれど，憲法上の人権として保障すべきものを取り上げることができる点にあります（これを「幸福追求権の補充的機能」といいます）。

わたしのことはわたしが決める！——自己決定権

　以上の権利とは別に，やはり 13 条の幸福追求権に含まれると考えられているのが，いわゆる自己決定権です。自己決定というのは，「自分のことは自分で決める」ということです。長い人生を生きていくうえで，周囲の人たちから，とやかく干渉（かんしょう）されて，勝手に自分のことを決められてしまうなど，自己決定を妨害される場面はしばしばあります。そんなときに，「わたしの自己決定を妨害しないで！」と主張するのがそもそも人権ですが，そのなかでもとくに私的なことがら

についての自己決定を妨害しないでと主張するのが，13条の幸福追求権に含まれる自己決定権です。人権が広い意味での自己決定権なら，こちらは狭い意味での自己決定権といえます。これは，「自分のことは自分で決める」という，一見ごくあたり前のことがあたり前にできないときに問題になります。自己決定というあたり前のことが，実は自由そのもの，自由の出発点なのです。だからこそ，自己決定にたいする妨害の排除を求めることが人権の本質なのです。

　私的なことがらについての自己決定権が問題となるのは，おおまかにいうと次の3つの場面です。①自殺や治療拒否など，自己の身体・生命にかかわる場面，②結婚する・しない，子を産む・産まないなど，自己の家族形成にかかわる場面，③髪型・ファッションなど自分のスタイル，飲酒・喫煙，登山などのいわゆる危険行為をするなど，日々の行動にかかわる場面です。ただし，ここにあげたすべての自己決定が13条で保障されるとまでは考えられていません。この分野の問題は，実は憲法の先生も頭を悩ませているところです。たとえば自殺をする自己決定，中絶をする自己決定，あるいは家族を形成するにしても，たとえば代理母を利用して自身の子をもつ自己決定など，はたしてそのような自己決定がすべて幸福追求権の内容として認められるのでしょうか。みなさんも一度考えてみてください。

もう一歩

　幸福追求権をめぐっては，そこでカバーされる自由が，はたして人間のあらゆる行為に及ぶのか，それとも人間が人間らしく生きていくために最低限，不可欠の行為に限定されるのかという問題があります。また，最近では，かつては自己決定の対象のように考えられていたことがらが，自己決定ではなく個人の個性そのものと考えられるような問題があることも認識されてきています（LGBTのような性的指向性や

性自認の問題)。そのほかにも,幸福追求権に含まれる権利にたとえば「環境権」というものがあるのかどうかも議論されるところです。わたしたちが良好な環境のもとで暮らすためには,環境保護も人権の守備範囲ととらえるのかという問題です。これらも幸福追求権との関係で考える必要があるといえます。

10 同じだから平等？ ちがうから平等？
—— 法の下の平等と差別の禁止・その①

　人権を考える際，自由の保障とともにもう1つ，大切なことがあります。それは，みんなが平等に生きていけるということです。では，平等とはなんでしょうか。みなさんは「平等はみんなを同じに扱うことでしょ？　だから差別はダメなんでしょ？」と思われるかもしれません。けれども平等については，自由についてほど簡単に説明したり理解できるわけではありません。実は平等とは，必ずしもみんなを同じに扱うことだけを意味するのではなく，場合によっては別扱いすることを必要とします。では，どのような場合に，どのような別扱いが許されるのでしょうか。

「特別扱い」は許されない？

　電車やバスに設けられている優先座席を例に考えてみましょう。「お年寄り，身体の不自由なかた，妊婦さんには席をゆずりましょう」というおきまりのメッセージは，乗客を年齢や身体的特徴によって区別し，ある一定の人たちを「特別扱い」しています。では，優先座席の設置は「許されない別扱い」にあたるのでしょうか。おそらくそのように考える人はいないでしょう。なぜなら，優先座席の設置にはみんなが納得できる合理的な目的があり，その手段も各列車の一部分に限定するなど妥当なものといえます。つまり，別扱いの目的が合理的で，その実現方法も妥当なものであれば，たとえある一定の人たちだけを「特別扱い」しても，それは「許される別扱い」といえます。では次に，女性専用車両について考えてみましょう。女性専用車両を設

置するいちばんの目的は,女性を痴漢などの性犯罪や暴力からまもることです。「それなら痴漢の濡れ衣をかけられないように,男性専用車両も作るべきじゃないか?」と考える男性もいるかもしれません(実際にそのような指摘もあり,将来的に男性専用車両が設置される可能性はなきにしもあらずです)。女性専用車両のように,多くの人が利用する公共交通機関において,女性だけを「特別扱い」することははたして許されるでしょうか。それとも男性にたいする「差別」にあたるでしょうか。実は,女性専用車両については,以前から賛成と反対で議論が分かれるところです。みなさんも一度,特別扱いの目的と方法に照らして考えてみてください。

ところで,「差別」という言葉は通常ネガティブなイメージで使われることが多いようですが,本来的には「差別」も「区別」も「別扱いする」という意味で,そこにプラスマイナスの差はありません(たとえば「ライバル他社との差別化をはかる」という場合は,ポジティブな印象を与えます)。すなわち,憲法はすべての「差別」を禁止するのではなく,「許されない差別」だけを禁止しているのです。

「等しいものは等しく,異なるものは別異に」

先の優先座席の例で,列車を利用する人がお年寄りばかりで,まるごとお年寄り車両になっているなら,そもそも優先座席を設置する必要はありません。現実には列車の利用客にはいろいろな人がおり,条件が異なるからこそ,利用客に応じた別扱いが求められます。このように,異なる条件のもとでは個々のちがいに応じた別扱いをしようという考え方を「相対的平等」とよびます。これにたいして,冒頭でふれた「みんなを同じに扱うこと」は,具体的には個々人のあらゆるちがいを一切無視して何がなんでも同じに扱うことであり,これを「絶対的平等」とよびます。はたして,どちらが望ましい平等のかたちと

いえるでしょうか。

ここで思い出してほしいのが13条の「個人の尊重」(☞ 8)です。すでにふれたように、わたしたち人間というのはそもそも1人ひとりがちがう存在です。生まれはもちろん、肌の色や話す言葉、宗教や文化、あるいは年齢、性別、職業、さらには身長や体重、趣味や好きな人のタイプなど、実にたくさんのちがいがあります。とするならば、個人を尊重するためには、まずその個々のちがいに着目し、ちがいに応じて異なって取り扱うことが当然必要になります。そのために、何がなんでも同じに扱え、という絶対的平等が、憲法が求める平等とはいえません。

しかし、たんに「ちがうから別扱いしてもよい」と考えてしまうと、さまざまなちがいを理由に不合理な差別がまかり通ってしまいます。そこで、「等しいものは等しく、異なるものは別異に」という相対的平等の考え方が必要になります。それは、個々人のちがいを前提に、それでも個々人を平等に取り扱うことを求める考えです。つまり、平等とは、「同じだから平等」なのではなく、まさに「ちがうから平等」なのです。みんながちがうからこそ、そしてそのちがいをもった個々人を尊重するためにこそ、必ず平等という考え方が必要になります。すなわち、個人の尊重と平等は目的と手段の関係に立つといえます。

| 人生は競争の連続！──勝ち抜くためには努力が必要 |

わたしたちが生きていく過程においては、好むと好まざるにかかわらず、競争に参加する場面がたくさんあります。たとえば、受験という競争を勝ち抜くためには多くのライバルよりも1点でもよい点を取る必要があります。大学受験については、高校卒業資格さえあればだれでも挑戦できますが、必ず全員合格とはなりません。つまり、だれもが自由に受験という競争のスタートラインに立つことはできても、

合格というゴールにたどりつくことまで保障されているわけではありません。最後の結果はまさに本人の努力次第，ゴールのテープは自分の力で切るべきといえます。たとえば，あなたがこの本を読んでがんばって勉強した結果，憲法の試験で「優」がついても，準備をサボってまともに解答できなかった友人まで「優」がついたら納得がいかないでしょう。このように，がんばった人もがんばらなかった人もみな一様にゴールテープを切ることができるなら，がんばることがアホらしくなり，努力することをやめてしまうかもしれません。努力した人がきちんと報われる社会であるためには，結果については各人の努力にまかせておけばよいといえます。もちろん，そのためには，だれでも自由に競争に参加できることが大前提になります。

| わたしだって競争に参加したい！ |

ところが，「だれでも自分が希望する競争に挑戦することができますよ！」といわれても，世の中にはさまざまな事情で自分の力だけでは競争のスタートラインに立つことすらままならないという人たちもいます。たとえば先ほどの大学受験の例でいうと，成績優秀な女子高生のノリコさんは医学部に進学し，再生医療に貢献できるような細胞を開発することが夢です。ところがノリコさんの家は貧しく，たとえ合格しても大学に通う余裕などありません。このように経済的事情により大学進学が困難な人をサポートするものとして，奨学金制度や授業料免除の制度があります。これらを利用すれば，ノリコさんも大学進学の夢を諦める必要はありません。受験という競争に参加し，自分の力で合格を勝ち取れば，あとは将来の目標に向かってひたすら研究者としての道を歩むのみです。

すでにみたように，結果については本人の努力によるべきといえます。しかし，現実にはノリコさんのように，本人の能力や努力にかか

わらない事情で，ゴールを目指すことを断念しなければならない人もいます。そこで，がんばっているのにゴールはおろか，スタートラインに立つことすら困難な人にたいして，少なくともほかの人と同じスタートラインに立てるように，さらにはゴールラインにたどりつくまで必要に応じた支援が必要になります。ただし，これらはあくまで例外的な措置であり，努力主義が基本であることにかわりはありません。その理由はおわかりですよね。

歴史にみる差別の代表例——生まれによる差別

長い人類の歴史において，世界中の国々で共通して行われてきた差別の代表例として「人種，思想・信条，性別，出生・身分」による差別があります。「思想・信条」以外はいずれも生まれながらに決定され，自分の意思や努力ではどうすることもできないものばかりです。「思想・信条」は唯一，本人の意思で自由にかえることができますが，自分という人間を支える重要な価値観ですから，そう簡単にかえたり曲げたりすることはできません。そのような意味で「思想・信条」は，生まれながらに決定されることがらと非常に近いものといえます。

では，生まれによる差別をすることに，はたしてみんなが納得できるような理由はあるでしょうか。想像してみてください。あなたがもし，自分ではどうすることもできないことで自分だけ不利な扱いをされたら……。もうおわかりでしょう。生まれによる差別は通常不合理な別扱いであり，許されない差別にあたると考えるべきです（思想・信条による差別も同様に考えることができます）。

もう一歩

X総理大臣は「男女がともに活躍する社会」をスローガンに，閣僚について男女半数ずつ登用することを宣言し，女性大臣を5割に増

やしました。男女ともに半数ずつですから、大臣になるチャンスは男女とも平等といえます。さらに、女性の積極的な社会進出を促すという目的は国民の理解をえられそうです。しかし、個々の能力を考慮せず、とにかく女性大臣を5割登用するという方法は、はたして妥当といえるでしょうか。

Coffee Break ②

環境権

戦後の高度経済成長期、四大公害事件に象徴される深刻な健康被害や環境汚染に直面したことによって、良好な環境を享受（自分のものとし、楽しむ）する権利としての「環境権」が主張されるようになりました。憲法に記述のない環境権は、新しい人権（☞ *9*）としてとらえることもできますが、それと同時に「健康で文化的な最低限度の生活を営む権利」（☞ *29*）からも導かれると考えられています。

ただ環境権については、他の権利とは異なる側面があります。保護される「環境」は、生命・身体に被害が出なければいいというレベルでないのはもちろんですが、それがどの程度のものかは明らかではありません。日照・騒音・景観などがこれに含まれると考えられるようにはなってきましたが、その場合でも多くが国家ではなく私人による侵害であることは頭においておく必要があります（☞ *6*）。また、だれも住まない秘境の開発といった特定の被害者が想定できない環境破壊や地球温暖化など、現在重要な環境問題と考えられているようなものも、「環境権」から把握し解決することは困難といえるのです。ただ、「保護すべき環境とは？」という思考の中で生まれてきた「持続可能な開発」という考え方は、国際的な政策目標の中で受け入れられ、現在のSDGsにつながるものとなってもいます。

（浮田　徹）

11 家族にも差別がある！？
―― 法の下の平等と差別の禁止・その②

　憲法による平等の保障，いいかえれば許されない差別の禁止は，実はさまざまな場面で問題になります。それは，1人ひとりの個々人がいろいろなちがいをもって生きているからにほかなりません。そのなかでもとくに多くのことがらが問題として取り上げられるのが，人間の基礎的な集合体としての「家族」にひそむ差別です。というのも，「家族」というものが社会の基礎的な単位とされ，法律で厳格に規律されているために，個々人のちがいにもかかわらず，みんなが同じように取り扱われているためです。それでは，家族制度にはどのような差別があるのでしょうか。

出発点は親の命 ―― 親と子の関係・その1

　その昔，姦通罪（かんつう）という罪があったのをご存じでしょうか。戦前の家族制度では，事実上はともかく，法的には夫が妻よりもはるかに強い立場におかれ，妻が浮気をすれば犯罪として処罰されました（夫が浮気してもおとがめなし，なのにです！）。同様に，同じ子でも，娘より息子の方が強い立場にありました。一方，父親にたいして子は法的に服従する立場にあり，妻も子も，夫や父親にたいしては非常に弱い立場におかれていました。

　現在の憲法では男女平等がうたわれ，性別によって差異を設けることは許されません。そのために，現在の憲法の施行とともに家族法（民法のなかにあります）も大幅に改正され，戦前にあったような男女の不平等の多くはなくなっています（すべてではない点は *12* で説明しま

す)。ただ,夫婦は平等とされ,子からみればお父さんもお母さんも親として同じになったのですが,親子の関係については,法的な要請というよりはむしろ,「子は自分を育ててくれた親を尊重し,親孝行すべきだ」とする,いわゆる道徳的な考え方が戦後も維持されました。そして,そのような立場から,子が親(さらには祖父母も含む)を殺せば,通常の殺人よりも非常に厳しく処罰する尊属殺人罪が戦後も残されることになったのです(尊属とは,親など目上の親族をいいます)。

　当初,最高裁判所も,親を尊重することは普遍的道徳だとして,尊属殺人罪を合憲としていました。ところが,1973(昭和48)年,想像を絶するほどの悲惨な状況におかれた娘がもはや人間とはいえないようなひどい父親を殺した事件が起きたとき,最高裁判所はそれまでの立場を変更します。たしかに普遍的道徳は法の世界でも尊重しなければならないという点は従来どおり認めつつも,そのような道徳をまもるために,親を殺した子に死刑か無期懲役のどちらかしか選択の余地を与えず厳しい罰を科すことを定める尊属殺人罪は,普通殺人罪(当時は3年以上の有期懲役もしくは無期懲役または死刑が刑罰として規定されていました)に比べてあまりにも重い刑罰だという点で不合理な差別になるとの判断を下したのです。この判決では,人間の命はだれのものであろうとみな同じであるとの理由から,尊属殺人罪を違憲とする裁判官の意見もありました。しかし,多数の裁判官は親の命をほかの人間の命と区別することを憲法違反とはせず,うえに述べたとおり,普通殺人罪と尊属殺人罪の刑罰の不均衡を不合理なものと結論づけたのです。このような解決は,はたして真に平等の問題としてとらえたものといえるでしょうか。ただ,この違憲判断の結果,尊属殺人罪は廃止され,現在はありません。

嫡出子と非嫡出子——親と子の関係・その2

　親子関係には命のやりとりだけでなく、親の法律関係に連動するかたちで子の法的地位が変わることがあります。それが、嫡出子と非嫡出子です。まず、法律上の夫婦から生まれた子は嫡出子とよばれます。そして、事実上は夫婦である男女を含めて法律上の夫婦以外の親から生まれた子は非嫡出子とよばれます（最近ではこのよび方がまさに差別的であるとして、婚内子と婚外子という言葉がしばしば使われます）。なお、誕生のときには非嫡出子であっても、その後、両親が婚姻して法律上の夫婦になった場合、その子は嫡出子になります（これを一般に「準正」といいます）。

　まず、最高裁判所は2008（平成20）年、日本国籍取得における非嫡出子差別を違憲としました（☞7）。この事件において、最高裁判所は、21世紀になって「家族生活や親子関係に関する意識」やその実態が変化し多様化しているとして違憲の判断を下しました。そこで、この判断をきっかけに、これまで合憲とされてきた非嫡出子の相続分についての差別問題も大きくゆらぐことになりました。最高裁判所は当初、非嫡出子の相続分を嫡出子の2分の1にする（平成25年改正前）民法900条4号ただし書を、子のあいだでの区別は民法が一夫一婦制の法律婚主義（☞12）を採用した結果であり、一方で法律婚家族を保護し、他方で非嫡出子を保護するために相続分をどのようにするかは国会の裁量だとしていました。ところが2013（平成25）年、最終的にやはり非嫡出子の相続分の差別を違憲と判断する立場に変更しました。

　もちろん、それまで何度も合憲の判断を下していたので、最高裁判所も簡単に民法900条4号ただし書を違憲としたわけではありません。最高裁判所は、外国立法の変化や日本の家族形態の変化などもあげつつ、また一夫一婦制の法律婚主義が制度としては定着している現在に

おいても，たまたま父母が婚姻関係になかったという，子にとってはどうしようもないことがらを理由に，子に不利益を及ぼすことは許されず，子を個人として尊重すべきとの考え方が確立されているため，嫡出子の2分の1とされた非嫡出子の法定相続分を差別する合理的な根拠は失われていると結論づけたのでした。この違憲判断の後，国会では賛否両論あったようですが，民法900条4号のただし書を削除し，現在は，子の法定相続分に差別はなくなりました。こうして，ようやく「非嫡出子は嫡出子の2分の1」との規定がなくなったのです。

父親の認知による不利益——親と子の関係・その3

かつては，社会保障の領域でも非嫡出子の差別がありました。それは，児童扶養手当という，父親と生計を同じくしていない子の福祉のために支給されるお金の給付要件についての問題でした。そこでは，父母が婚姻（現在この領域では，法律上，事実婚も法律婚と同じに扱われています）を解消して母に養育されている子，父の生死がわからない子や婚姻外で生まれた子で母に養育されている子には，児童扶養手当が支給されたのですが，婚姻外で生まれた子でも父が認知をした場合には手当が支給されない，あるいは支給が打ち切られるという差別的な扱いが問題とされました（これは非嫡出子すべてではなく，そのなかの一部が差別されていたものです）。

最高裁判所は，2002（平成14）年，現実に父と生計を同じくせず，父による扶養を期待できない子を支援するという児童扶養手当法の趣旨に照らして，認知された非嫡出子を排除するのは違法だとして，実質的には許されない差別にあたることを認めました。その結果，認知の有無にかかわらず，父と生計を同じくしていない非嫡出子にも児童扶養手当が支給されることになったのです。

なお，児童扶養手当は，ひとり親だけで養育されている子の福祉の

ために支給されるものであるとすれば、母親だけで養育している子だけではなく、父親だけで養育している子でも同じではないか、いいかえれば、両親に育てられていない子のなかで、養育する親の性別によって児童扶養手当をもらえる子とそうでない子に区別されるのもやはりおかしいのではないかという問題もありました。国会もさすがにそれを認識したのか、裁判で争われる前に法律を改正し、現在では児童扶養手当は父または母と生計を同じくしていない子を対象に支給されるものになっています。

家族法に残る男女の区別――再婚禁止と夫婦の姓

親子関係だけではなく、夫婦間の問題についても、姦通罪はなくなったものの、いまだ性別による区別は残っています。たとえば、男性は離婚が成立すればすぐに再婚できるのに、女性は離婚が成立してもその後すぐに再婚することができません（民法733条）。これは、離婚後に生まれる子の父親がだれかわからなくなるのを防ぐためだとされ、もともとは離婚後6か月間、女性は再婚できませんでした。最高裁判所によると、それは男女間の肉体的差異にもとづく区別であって、父親の確定には一定の再婚禁止期間が女性には必要とされています。現在は短縮されたものの、離婚後100日間、女性は再婚できないことになっています。なお、現在では再婚禁止期間の存続が父親の確定のためだとした場合、離婚時に妊娠していないことを確認できれば、離婚直後の再婚を禁止する必要はなく、すぐに再婚することは可能になっています（民法733条2項1号）。

さらに、法律上は男女の区別はないのですが、明治時代からの慣習で女性に不利に作用するものもあります。それが婚姻後の姓です。婚姻すれば法律上は夫の姓でも妻の姓でもどちらでもよいのですが、どちらか1つに決めなければなりません（民法750条）。これは、姓が家

族という集合体を外に向けて示す標識のようなものであり、家族の一体感を作り出すために必要であると考えられた結果です。ただ、これまでも現在も、結婚すれば女性の苗字(みょうじ)が変わるのが当然のことのように考えられ、実際、96％の割合で夫の姓に妻が変えるという選択が行われています。このような状況から、夫婦の姓は同姓でも別姓でも選択できてよいのではないか、としばしばいわれていますが、最高裁判所は、姓が変わっても結婚する前の苗字が通称として使用できるので、法律上、夫婦が1つの姓になることは憲法上問題ないとしています。また、この問題については、国会でも法律の改正にたいする抵抗は強いようです。なお、最近では、姓の変更をきらって、婚姻届を提出せずに事実婚を選択するカップルも増えているようです。その点を問題として、夫婦同姓の強制は「婚姻の自由」を侵害するのではないかとする意見もあります（これは14条の平等ではなく24条の問題として論じられることになります）。

このほかにも、婚姻できる年齢が男女で異なるといった区別も存在していましたが、2022（令和4）年4月から民法上の成年年齢が変更になることにともない、男女の区別はなくなりました。

もう一歩

差別にかんする問題は、家族をめぐるものに限定されるわけではありません。世の中には実にさまざまな差別があります。ただ、憲法問題として考えるべき差別とは何かということを含めて、どのような場合に平等が問題とされるのかを考えることも必要です。さらに、家族制度については、幸福追求権の自己決定権（☞ *9*）の内容や、憲法上の家族原理（☞ *12*）に関連しても問題になります。

12 憲法が保障する家族とは？
——憲法と家族制度

　結婚や出産，養育という人間の行為・活動は，家族形成という点で，個人の人生に密接にかかわる重要なテーマといえます。そしてそれは，人間の生物としての本能的な側面であると同時に，そこで形成される家族は，一般に，社会を形成する際の基礎的な集団だといわれます。もちろん，人間は，国ができる前から家族とよばれる小さな集団を形成してきました。しかし，国家というものが登場することにより，家族にはさまざまな役割が与えられるようになります。その結果，多くの国々の憲法では，家族についての規定がおかれています。

伝統的家族から現代的家族へ

　明治憲法下の民法には，家族にかんする規定として，江戸時代の武士社会の伝統を受け継ぐ「家制度」というものがありました。そこでは，家族の長として戸主がおかれ，戸主が家族の身分行為（主として結婚）についての同意権をもち，夫の妻にたいする優越権を認め，相続も長男単独での家督相続が中心になるなど，まさに家長としての戸主が家を統率するしくみがとられていました。そしてこの「家制度」は，国のレベルにまでひろげられて，大日本帝国を大きなイエととらえる考えにもとづき，統治権の総攬者（国家権力を一手に収める者）としての天皇が戸主のような立場で国家を統括する「家族国家」観のようなものへと応用されたのです。

　戦後，日本国憲法になってこのような「家制度」が解体されたのはいうまでもありません。なぜなら「家制度」は，1人ひとりの個々人

を大切にするという「個人の尊重」原理（13条前段）のもとで明らかになった，家族といえども個々人の集合体だという考えとまったく相容れないものだったからです。そのため，日本国憲法の施行により，「個人の尊厳と両性の本質的平等」にもとづく新たな家族制度（24条2項）を構築するためには，戦前からの民法における家族法の規定は全面的に改正せざるをえなくなったのです。

　ところが，法律上，家族制度の内容が変わったとしても，1人ひとりの個人の意識が変化しなければ，家族というものがもともとは国家の存在とは無関係であるだけに，そうすぐに変化することはありませんでした。しかし，最近では，社会状況やそれにともなう社会意識の変化によって，家族のあり方も多様化していることが指摘されます。たとえば，婚姻届を提出しないいわゆる事実婚カップル，意図して子どもをつくらない夫婦，婚姻届を出しても同居せず別居している夫婦，さらには夫婦同然の生活をしている同性のカップルなどが存在します。これらの「家族」は，社会的には少数派ではあるものの，今の時代，とくにめずらしい存在ではなくなっています。

そもそも「夫婦」とは？ 「婚姻」とは？

　日本国憲法では「夫婦が同等の権利を有する」（24条1項）という文言を示すことにより，戦前のように妻が夫に従属するという考え方は否定されました。条文に「夫婦」という言葉はこの一度しか出てきませんが，それに関連して「婚姻」という言葉が登場します。憲法は「婚姻」を保障することで，男女のカップルが「夫婦」になることも同時に保障しているということができます。そして通常は，一組の男女が「婚姻」することで「夫婦」になるというのが，一般的・常識的であると認識されています。では「夫婦」とはなんでしょうか。夫婦が「婚姻」しているカップルだとすれば，そもそも「婚姻」とはなん

でしょうか。憲法には「婚姻」についての定義はありません。結婚式場で「○○家△△家御両家披露宴会場」という表示をよくみかけます。これでは「婚姻」があたかも家どうしの関係を形成するための儀式のようにみえますが、このような慣習は、まさに戦前の「家制度」のなごりといえましょう。しかしながら、日本国憲法では「婚姻は、両性の合意のみに基いて成立」(24条1項) すると規定しています。したがって、「婚姻」はあくまで当事者どうしの問題であり、たとえ親であっても本人たちの意思に介入することはできないというのが憲法の考えです (なお、未成年の婚姻にかんしては平成30年改正前民法737条で父母の同意を必要としていましたが削除されました)。

「夫婦」になれるのは男女のカップルだけ？

憲法に定義はありませんが、現在、民法では一夫一婦制の法律婚主義 (婚姻に一定の法律上の手続を必要とする考え方) が採用されており、これは憲法24条に違反しないと考えられています。そのため「夫婦」になるには、婚姻の意思をもつ男女が婚姻届を提出しなければなりません。「婚姻」には「相互の協力により、維持されなければならない」(24条1項) との義務をともなうことから、そのような効果を発生させるために届出が必要であり、婚姻届の提出は合理的なものと考えられているからです。ただし、社会保障関係の法律には、いわゆる事実婚カップルにも、法律婚カップルの妻あるいは夫と同等の権利を認めているものもあります。

しかし、たしかに常識的には一夫一婦制というのが「夫婦」のかたちであるとしても、「婚姻」は「両性の合意」のみにもとづいて成立するわけですから、一夫一婦制である必然性はないはずです。また、婚姻届の提出も本当に必要なのかという点も検討の余地はありそうです。そして、そのような制度がこれまでの家族の常識に合致し、性秩

序をまもるために適切で，法律上採用されているからといって，それがそのまま憲法上の「婚姻」，ひいては「夫婦」だと決めつけてしまうことがはたして適切といえるかどうかについても，あらためて考えてみる必要があります。

さらに，「婚姻」は「両性」の合意にもとづくという点から，「夫婦」は男女のカップルだと考えられています。そのために，日本では現在，同性カップルの「婚姻」は認められていません。他方，海外では同性カップルの「夫婦」同然の生活形式に「婚姻」と同じ，あるいはそれに準ずる関係を認めようとする国が増えつつあります。日本では，たとえば「性同一性障害者の性別の取扱いの特例に関する法律」による性別変更のための要件として，「現に婚姻をしていないこと」（3条1項2号）が規定されています。これは，もし「夫婦」の一方配偶者が性同一性障害の場合に，その人の性別変更を認めてしまうと，同性の「夫婦」が誕生してしまうこと（すなわち，同性夫婦は認められないということ）を理由にしています（これは最高裁判所の判断でもあります）。こんな状況ですから，欧米諸国のように同性婚が認められるのは，今の日本では夢のような話です。ただ，最近では，東京都の渋谷区などのように，条例レベルで同性カップルに一定の保護を与えるなどの動きもみられます。今後もこのような動きが全国に拡大していけば，法律レベルでも，同性カップルに「夫婦」としての身分を与えるとまではいわなくても，「夫婦」に準ずるような扱いをすることについての検討が迫られる日はそう遠くないかもしれません。

| 家族もいろいろあっていい！ |

結婚するかしないか，子をもつかもたないかは，個々人およびカップルの自由であるというのが，憲法における「婚姻」および「家族」にかんする基本的立場です。とくに，夫婦や親子のあり方にかんする

社会状況や社会意識が変化し、家族のあり方が多様化している現在において、「婚姻及び家族に関する」事項が法律で定められるものだとしても、「個人の尊厳と両性の本質的平等に立脚」していなければならないとする憲法規範（24条2項）のもつ意義は重要です。たしかに、家族形成の自由は幸福追求権の一端をなす自己決定権の内容の1つとして論じられてきました（☞9）。結婚や家族形成が個人の問題であるならば、まさにそのとおりといえます。しかし、どのような結婚生活を送るのか、夫婦のあいだで子をつくるのかといった問題は、個人で勝手に決めることができない、それこそ夫婦の問題になるはずです。そうだとすれば、憲法24条のなかにこそ、当事者間の合意にもとづく個人の領域を超えた夫婦・家族の自由を保障する意味が含まれていると考えることも必要であるといえます。

この点は、同性カップルについても同じことがいえます。たしかに、「婚姻」は「両性の合意」にもとづいて成立するとしても、「婚姻」を継続するためにも男女のカップルであり続けることが必要なのでしょうか。たとえば、先に述べたとおり、性同一性障害に苦しむ夫もしくは妻が性別変更をするために、夫婦に離婚を求めるような現在のしくみは、実はすでに婚姻している性同一性障害者に婚姻解消を強制するものといえます。また、結婚する前に性別変更をしてしまうと、もともと異性のカップルが同性どうしになってしまい、もはや「夫婦」になることができなくなります。このような状況は非常にまれなケースであって、たとえ困っているのが少数者だからといって、それを仕方ないと放置することが許される理由にはなりません。

これと関連してですが、第32回オリンピック・東京大会開催を目前にした2021（令和3）年5月には、性的指向の尊重をうたうオリンピック憲章を考慮して、LGBTという性的少数者に関する理解を増進する法律案の議論が行われました。しかし、与党側の異論が強く、国

会にその法律案が提出されることなくおわっています。多様性を容認するグローバル化社会の現在、この点で、日本はまだ遅れているといわれてもしかたないのかもしれません。

日本の社会では、夫婦や家族について、伝統的な夫婦像・家族像があたり前のものとして固定化され、あたかもそれらが「正しい」と思われがちです。しかし、どのような家族を形成していくのかは、本来1人ひとりが自由に決められる問題であるはずです。憲法の「個人の尊厳と両性の本質的平等」をベースにする家族法の基本原則は、一般的なある一定の家族形態だけを保障するものではないはずです。現代社会が多様な家族観をもつ個々人の集まりであれば、特定の家族イメージだけを推奨しようとする法律については、とくに「個人の尊厳」という言葉の意味に照らして検討することが必要ではないでしょうか。

この点で、下級審ではありますが、異性間の婚姻と同等の生活をおくっている同性カップルに対して、婚姻によって生じる法的効果を認めないのは不合理な差別だとする判断が下されています。この判断は画期的なものとの評価をうけていますが、そのように評価されることじたいが、日本の現状の問題を示すものといえるのではないでしょうか。

もう一歩

「夫が稼ぎ、妻は家をまもる」というような一定の家族像を前提にして設けられた結果、共働き家族が損をしてしまうような法制度は、まさに「個人の尊厳と両性の本質的平等」に照らして憲法上の観点から再評価することが必要になります。また、13条とも関連しますが、同性カップルの取扱いや、生殖の自由、とくに体外受精や代理母など生殖補助医療技術の利用についても家族形成の自由との関係で検討する必要があります。

Coffee Break ③

性同一性障害

　性同一性障害とは，一般には「生物学的な性別（sex）と自己意識あるいは自己認識している性別（gender identity）が異なる場合」をいいます。たとえば，外見は明らかに男性でも，内心は女性であると信じて疑わないような場合であり，性別の不一致に違和感を覚える人（トランスジェンダー）だけでなく，不一致を解消するために性転換手術を希望する人（トランスセクシュアル）もいます。日本では，2003（平成15）年に「性同一性障害者の性別の取扱いの特例に関する法律」が成立し，医師による診断や性転換手術など，一定の要件をみたせば戸籍上の性別変更が認められるようになりました。最近は有名人のカミングアウトなどもあり，少しずつながら性同一性障害にたいする認知も広まり，職場や学校においても一定の配慮がなされるようになっています。一方で，性同一性障害にもとづく差別により人格権が侵害されたとして訴訟が提起される事件も起きています。また，2021（令和3）年の第32回オリンピック東京大会では，女子重量挙げでトランスジェンダーの選手が史上初めて出場を果たしたことにともない，議論がわきおこりました。LGBTの取扱いについては，人々の意識とともに社会制度上もさまざまな問題があります。　　　（春名　麻季）

第2編
人権として保障されているもの

I 人身の自由と手続的権利

13 いまどきの奴隷(どれい)や苦役(くえき)を考える
―― 奴隷的拘束・意に反する苦役

「奴隷」という言葉は,「うちの会社は社員を奴隷のようにこき使う……」,「夫の実家はわたしを奴隷のように扱う……」,「結婚生活は奴隷みたいなもんだ……」など,近年では自分の身にもふりかかるかもしれないどこか不幸な状況を表すのに用いられたりします。憲法は,「奴隷的拘束」を固く禁じ,「意に反する苦役」を基本的に認めないのですが(18条),これは従業員にやさしくない企業や気の毒な結婚生活をすぐに否定するものではありません。ただ,これは,古代ギリシアやローマ帝国時代の奴隷や欧米における黒人奴隷などの,身分や制度としての奴隷といった,今の日本では想定しづらい状況だけを強く否定しているわけでもないのです。憲法18条は,今もありうる「奴隷」の本質的な意味を問いかけています。その結果,うちの会社・家庭はまさにそのとおりだった……となるかもしれません。

きっかけは自由意思でも

まじめに働くことでもらう給料からは,どうやっても返すことができない額の借金を作ってしまい,やむをえず少し怪しいスジの人に仕事を紹介してもらうことになったとします。それはどう考えても「いい仕事」とは思えませんがほかに方法がありません。こんなとき,都市伝説のようにいわれるのが,漁船に乗せられ長期間の航海に出る,

または山奥に連れていかれ鉱山でひたすら働かされる，などです。そこでは，逃げることは物理的に不可能で，不満をいえば太平洋の真ん中で捨てられるかもれませんし，24時間監視の眼が光っていたりします。娯楽はなく，ひたすら働くしかなく，病気になっても医者にみてもらえなさそうです。労働は過酷で，そう遠くないうちに身体にガタがきそうです。いちおう契約期間が終われば帰れるはずなのですが……。

　このような状況は，きっかけが自由な意思決定で，期間限定でもあり，過去にあった身分や制度としての奴隷とは異なります。そして，奴隷というと，表面上は，人がモノとして売買され，鎖でつながれていることなどが象徴的に感じられますが，問題の本質は，人間性の否定，すなわち自由な人格を備えた人間としての存在の否定にあります。うえにあげた漁船や鉱山での拘束は，人間の自由の基盤を損なうものであるといわざるをえず，この意味では「奴隷」的な拘束にあたるといえるでしょう。

やっぱりダメ？

　人は，生きていくなかでいろいろと困った状況に陥ることがあり，それを乗り越えていかざるをえません。そしてそれが，自分で自由に決めたことの結果であれば，自己責任ゆえ多少苦しくても引き受けるのが当然で，むしろ「それが人生」ともいえそうです。しかし憲法は，一線を越える苦境は，すべての人に絶対に生じてはならない，という強い意思を示します。それはなぜなのでしょうか。

　山奥の鉱山での過酷な作業が終わった後，こわい目付役にもらうタバコの一服は，1日のうちで唯一自由な，このうえない至福のひとときであると感じられるかもしれません。ただそれは本当の意味での自由の満喫ではありません。身柄が自由でなく，他人に従属した立場に

おかれ続けることは、自由な人格を備えた人間という、憲法が重視する人間のあるべき姿を完全に否定するものです。奴隷のように扱われないこと、そしてそれが権利として保障されているということは、あらゆる自由の基盤が確保されることを意味します。それゆえ、奴隷のような状況におかれることは、どんな理由があろうとも正当化されません。このことは、それが国家だけでなく一般人その他だれがもたらす(た)ものであっても同じようにいえるのです。

ダメなものはダメ！

「奴隷でもいいからここで働きたい！ 目的のためにはこれがいちばんの近道なんだ！」というように、本人の強い意思があればそれは尊重されるでしょうか。一般に、私人(しじん)（☞ 6）どうしの関係には「私的自治の原則」があてはまり、お互いの合意があれば契約は成立します。トレーディングカードの高額の取引、業績悪化した企業の社長が自分の月給を1円にするなど、第三者からすれば少しおかしいと思うような契約でも問題にはなりません。しかし「奴隷的拘束を受けない権利」は放棄(ほうき)することはできません。すなわち、すべて合意のうえで入社しその環境になんとか耐えられそうだったとしても、実際に奴隷的拘束といえるような状況は憲法違反となります。憲法は、すべての人が、いかなる場合であっても奴隷のような扱いを受けることを許さないのです。

人身売買によって他人に従属させられてしまったり、実質的に自分の意思では逃げられない環境で働かざるをえないような場面で、支配する立場の人が幸運にも「いい人」で、さまざまな施(ほどこ)しがなされ、幸福を感じながら生きていけたとします。このような場合であっても、そう感じているかとは関係なく、人間性を否定する状況におかれているがゆえに許されないといえるのです。

イヤなことはやらなくていい？

また、やりたくないことを強制的にやらされるのはそもそもが苦痛です。面倒臭いなど直感的なもの、なるべく目を背けて生きていきたいという消極性の表れ、生きる信念と衝突する、など、やりたくないといってもその理由はいろいろ考えられますが、この、意に反する作業の強制は、たんに苦痛だというだけでなく、奴隷的拘束と同じく人間の人格的な側面を否定する可能性があるために問題となります。それゆえ憲法は、奴隷的拘束の禁止に続けて「意に反する苦役」からの自由を保障しているのです。

また、絶対的禁止の奴隷的拘束とはちがい、意に反する苦役には、「犯罪による処罰」という例外が書かれています。ただ、これは処罰が苦役でなければならない、ということではありません。実際のところ、受刑者の扱いはその更生と社会復帰という観点から組み立てられているため、そもそも刑務所で行う作業が人格を無視することにはならないはずです。

イヤなものはイヤ！

国に強制的にやらされることは、積極的にやりたいと思うもの以外は「意に反する苦役」と主張できそうです。実際に、選挙、住民登録、国勢調査、納税のための申告、免許取得や更新の際の講習、近年では裁判員制度による裁判員など、生きるうえで強制的に、またはなかば強制的にやらねばならないことは少なくありません。これらにたいし、「意に反する苦役からの自由」を盾に拒否することができるでしょうか。本人の意思に反する強制自体がそもそも人格を無視していると考えればそれは可能かもしれませんが、必ずしもそうではありません。ここでは、「イヤ」に感じるというだけでは十分とはいえず、「何を」、

「なぜ」強制されるのかという点からの考察が必要になります。

たとえば兵役は，世界的には国民の義務であり意に反する苦役にはあたらないとされます。ただ，軍隊の仕事がその人の信念や信仰と相容れない場合にはそれを犠牲にしてまでしたがえというわけではなく，拒否を認める国もあります。日本において兵役は，平和主義（☞ **45**）からしてそれを正当化する理由もみつからないため，意に反する苦役にあたると考えられています。また災害時には，防災・救助行為を法律が強制するのですが，これは緊急であること，一時的であることから苦役にあたらず，また，納税や裁判での証言などの義務は，苦役どころかたんなる労役でさえないと考えられています。

| 線引きはどこにある？ |

「奴隷的拘束」と「意に反する苦役」は自由な人格を備える人間を否定するがゆえにダメだと評価されます。冒頭の比喩的な「奴隷」も，程度によってはそうなってしまいますし，そのような状態に悪化する可能性もあります。その意味では，たとえば不当な身体拘束のもとでの労働が禁止され，またはハラスメント（いやがらせ，いじめ）にたいする法整備が行われていることなどは，奴隷，苦役とは無関係にみえるかもしれませんが，18条の趣旨と関連しているといえます。

もう一歩

裁判員制度は司法権（裁判）や国家作用への協力であり意に反する苦役にはあたらないとされています。しかし，裁判員として参加した女性が，審理の中で殺害現場などの証拠写真を見せられ，ストレス障害となったとして慰謝料を求める裁判を提起しました。結果としてこの女性は敗訴しましたが，そのような苦痛のともなう可能性のある裁判員は意に反する苦役にはあたらないといいきれるのでしょうか。

14 ボクは有罪,キミは……無罪??
―― 法定手続の保障

　社会人二年目,あなたは仲のよい同僚の誘いで合コンに参加することになりました。気合いを入れて出かけたこともあり,かわいい彼女と出会っておつきあいすることになりました。そうして半年,お泊まりの旅行にも行き,ラブラブな毎日が楽しくて仕方ありません。

　しかし突然,あなたは警察署によび出され,事情聴取を受けることになりました。その理由は青少年保護育成条例,世間でいうところの淫行条例に違反するらしいのです。そういえば彼女は 17 歳。「何人も,青少年にたいし,みだらな性行為またはわいせつな行為をしてはならない」という条文に引っかかると説明を受けました。罰則は「2 年以下の懲役または 100 万円以下の罰金」だそうで,重罪のように感じられます。彼女とまじめにおつきあいをしているだけなのにどうしてそんなに責められなければいけないのでしょうか。そもそも,「みだら」といわれてしまうと彼女への想いが不純なものであるように思えてきますし,何より「みだら」ってとても主観的なことばのようでもあります。そんな曖昧なものにあてはまるとして罰金を払えといわれたり,刑務所に入らなきゃいけないことになる法律というものに理不尽な思いが消えません。

やってはいけないこと,やったらどうなる?

　犯罪とは,一般に社会のなかで非難される「やってはいけないこと」であり,刑罰とはそれをしてしまった人が負わねばならない罰を意味します。ここでは 2 つのポイントに留意しなければなりません。

1つは、「その行為が本当に非難されるべきものなのか、またはどの程度非難されるものなのか」ということ、もう1つは「その非難の程度にふさわしい罰はどのようなものか」ということです。ただこういったことの基準は国によって、または時代によって異なるように思われます。「淫行(いんこう)」にたいする非難は大むかしからあったわけではないでしょうし、実際のところ都道府県の制定した条例なので処罰されないところもあったりするのです。

ただ、社会において一般に、「やってはいけない」と感じることについては、ある程度の共通認識がえられそうです。物を盗む、人を傷つける、生命を奪う、などはその典型だといえますし、物を盗むことよりも生命を奪うことの方がより非難されるべき、ということも理解がえられるでしょう。また、より重い罪を犯した人にたいしてはより重いペナルティ（罰）を与えるべきだということも納得できそうです。そしてここでは、全体のバランスもとれていなければなりません。犯罪の被害者になることは、理不尽であり腹立たしいものですが、特定の感情の高ぶりだけで罰が決められてしまうようであれば、それはあまり成熟した社会ではないなと感じられてしまいます。その意味で、犯罪の種類とそれにたいする罰については、一定のバランスのとれた体系がある方が、よりわかりやすく公正なものだと感じられるといえるでしょう。

自分で解決してはいけないので……

ここで次に非常に重要なことは、その罪の程度をはかり、それに見合った罰を決定し、実際にそれを科すプロセスが、国家にのみ認められているということです。個人的に仕返しをするとか、共同体の多数が賛成しているからより厳しい仕打ちを、といった制裁は、公正さの欠如につながります。社会では、だれかの恨(うら)みや悪意を差しはさむこ

となく，悪人が「それなり」に裁かれていくことがより多数の納得につながるものであって，そのため刑罰にかんしては国家に独占的に委ねられることになっているのです。

ただ，国民にたいして行使される刑罰権が非常に強力なものであることには注意しなければいけません。国家によって決定され，執行される刑罰は，通常の手段では逃げることができないものであり，最悪の場合は（死刑制度がある国にかぎりますが）命が奪われてしまいます。そこでの間違いは絶対にあってはならず，国家は刑罰権を独占する以上，間違いを生まないための厳格なシステムを作り上げることが不可欠であるともいえるのです。

| 刑罰の説得力 |

これら刑罰権の行使については，すべての国民にわかりやすいかたちで示されることによって，公正なものとしての信頼をえることが可能となります。このことは，国民が，社会のなかで何が犯罪であるかということを理解したうえで自由に行動するために不可欠です。具体的にはこれは，国民の代表者からなる国会によって定められた法律という形式で示されることで実現されます。ここで憲法は，次の2つのことを求めています。1つには，何が罪とされるか，そしてその罪の重さにふさわしい刑罰とはどのようなものであるかを法律で定めなければならないこと（罪刑法定主義）です。そしてもう1つは，実際に国民が経験するかもしれない場面としての罪と罰を決定するプロセス，すなわち犯罪の発生，捜査の開始から裁判，刑の確定にいたる手続（刑事手続）が法律で定められていること（適正手続の保障）です。刑罰権を国家に委ねるにあたっては，このような枠を超えてそれが行使されないということが不可欠の要素となります。

また，これら罪刑法定主義，適正手続の保障という2つの考え方は，

たんに法律で規定すればどんなものでもよいというわけではなく、その中身も適正なものであることが求められます。法律に書いてあるというだけで、罪と罰のバランスやほかの犯罪との軽重の関係がおかしい刑罰は許されませんし、理由なく特定の人間に不利に作用するような刑事手続も否定されなければならないのです。また、法律で示される以上、何が犯罪になるかということについてはだれがみても明らかに理解できなければいけません。「青少年とのみだらな行為」という記述はあいまいで幅広く、実際にはここにあてはまっていても結婚を前提とした真剣なおつきあいの場合には処罰されないとも解釈されています。このようなあいまいな条文は、逮捕、処罰する側が自由に判断できる領域が広く、そして何より日常生きているわれわれの行動をなんとはなしにしばってしまうものであるため、本来は許されません。刑罰法規には明確性が必要なのです。憲法の観点からすれば、刑罰権の行使については、刑罰の中身とそれを決定する手続について、適正な内容で法律により明確に定められることが要求されているといえます。

淫行で処罰されてもいいの？

最高裁判所は、「淫行」の範囲のあいまいさが刑罰として許されるのかという点について、「広く青少年に対する性行為一般をいうものと解すべきではなく、青少年を誘惑し、威迫し、欺罔し又は困惑させる等その心身の未成熟に乗じた不当な手段により行う性交又は性交類似行為のほか、青少年を単に自己の性的欲望を満足させるための対象として扱つているとしか認められないような性交又は性交類似行為をいう」と長い解釈を添え、さらに婚約中の青少年やそれに準じた真摯（まじめでひたむき、真剣）なおつきあいにはあてはまらないと判断しました。これを受けて、条例にこのような解説を付け加えた自治体も

あります。たしかに，青少年の不幸な出来事を避けなければならないことは理解できますし，うえの解釈のような行為は許されない行為として納得できます。そしてそれは常識的に考えてもおかしいとはいえません。しかし，悪いことをした人を裁くための刑罰は，逆にいえば「これをしなければ非難されない」というリストでもあるのです。もう少しわかりやすく書いてもらいたいと思うところですが，そもそも恋愛など主観的要素の入ることがらについては，法律のかたい文章では表現できないような気もしますので，そのあたりは悩ましいところです。とりあえずは，真剣なおつきあいをすることがいろいろな意味でいいに越したことはないといえます。

もう一歩

　国家が刑罰権を行使する際の一般ルールは，本文で説明したとおりですが，憲法は32条から40条で実際の行使における詳細なきまりとそこで保障される国民の権利を提示しています。「令状を見せろ！」，「弁護士をよべ！」など刑事ドラマで聞くセリフも実はここにあげられた憲法上の権利がベースになっています。9つの条文につきチェックし，何が保障されているか，またなぜこのような細かいことまで憲法に書かなければならないのかについて考えてみましょう。

15 死刑はやめた方がよい？
——憲法と死刑

「人の命を奪った者には死を！」とは，ごくふつうにわき上がってくる素朴な感情なのかもしれません。そこには，失われたものは戻らなくとも，人の命があらゆる局面で等しく，かけがえのないものだという価値観がうかがえます。ただ，刑罰としての死刑は，奪われた命の代償(だいしょう)として行われるものではありません。人の住む家に放火しただけの者や失敗した内乱のリーダーは，人を殺していなくても死刑になることがあります。また，人を殺しても必ずしも死刑にはなるわけではなく，実際その確率はきわめて低いのです。もっとも重い刑罰である死刑は，何をきっかけに，どのような目的で行われているのでしょうか。そして死刑は，人間の生命という根本的な価値に国家がかかわることになるのですが，憲法はこれをどう評価するのでしょうか。

苦しい死刑

国際人権 NGO アムネスティ・インターナショナルの調査によれば，2020 年 12 月現在，死刑が法律にない，もしくは実際に用いられてない国は 144 か国，死刑を存続している国は 55 か国あります。死刑は，データからみれば，世界的に廃止の方向にあるといえます。ただ，このような調査自体が，過去に死刑がどこの国にもあるごくあたり前の刑罰であったことを示しているともいえます。昔の死刑は，現代のものとは異なっており，生命を奪うことだけを目的とせず，罪の重さに応じた多くのバリエーションを備えるものでした。

ノコギリで身体を切り刻む，動物に襲わせる，串刺し，火あぶりな

どの古典的な処刑法では、耐えがたい苦痛を与えることが重要な要素でした。たとえば、中世ヨーロッパで行われていた異端者にたいする火あぶり（火刑）は、火のなかからときどき囚人を引き上げるなど、ゆっくりと時間をかけて焼くやり方で行われたりしました。串刺しは、とくに重い罪にたいしては、死にいたるまでの時間をより長くするため、先端を丸くした刺さりにくい杭を用いました。江戸時代の切腹は、罪人となった武士がその名誉を回復するために自死のかたちで行われるもので、やや志向がちがうようにもみえます。しかし、少なくとも自ら腹を裂き、苦痛に耐えながら死んでいくことを求めるという点で残酷さは否定できません。そしてまた、これら死刑の多くは、一般に公開させることで見せしめの罰としての意味ももっていました。

苦しくない死刑？

あらゆる学問と知識を総動員し、より大きな苦痛を与え死にいたらしめるために工夫を重ねてきた死刑を大きく転換させたのは、人権思想の導入でした。そこではすべての人が個人として尊重され、生きるに値しない生命は存在しません。国家が、特定の人のその価値を損ねることは許されないのです。この視点からすれば、死刑と人権思想は両立できないようにも思えます。実際に人権思想は、不必要な苦痛を与える残酷な刑罰としての死刑の排除には成功しています。しかし人権思想は、これまで長きにわたって行われてきた死刑という刑罰そのものを完全に否定することはできていないのです。

とはいえ、死刑が国際的にみて廃止の方向にあることは疑いようのないことです。死刑が人権にかかわる問題であることが理解され、その視点での死刑廃止への共通認識はできつつあるといえます。たとえば国際連合（国連）の条約や、死刑存置国（死刑制度が運用されている国）への勧告など、死刑廃止が絶対的価値をもちえていないなかでの

廃止の方向性が形作られていることは注目すべき点だといえます。

必要な死刑？

　日本は死刑存置国です。殺人や強盗致死，強盗・強制性交等致死など他人の生命を奪う罪，外国と通謀して日本を攻撃させるなどの国家にたいする罪，人の乗った電車や船に放火するなど公共の安全にたいする罪，あわせて19の犯罪で死刑がおかれています。最高裁判所は，「生命は尊貴である。一人の生命は，全地球よりも重い」と生命の価値を説きながら，そのうえで，「何人も，法律の定める手続によらなければ，その生命……を奪はれ……ない」(31条)という規定などを根拠として，憲法が死刑の存置を認めているとしました。

　しかしこれは，憲法が，刑罰として死刑をおくべきであるとか，死刑でもってのぞまなければならない犯罪があるという積極的な意思表示ではありません。31条は，刑罰として生命を奪われることがあってもやむをえないという程度のことを述べているにすぎないのです。憲法は生命にたいする国民の権利を保障しています。そして，死刑によって失われる利益が人間にとってもっとも根本的な「生命」であることからすれば，死刑を法体系のなかにおく根拠についてはより慎重に示される必要があるのかもしれません。

必要じゃない死刑

　ではなぜ日本で死刑が存続しているのでしょうか。ここでは，刑罰の一種と位置づけられる死刑について，刑罰が科される理由そのものから考えてみましょう。刑罰には，本人が犯罪をくり返さないようにするための役割，または社会のメンバーが同種の行為をしないための威嚇としての役割が指摘されます。死刑について考えれば，本人は社会に戻らないのですから，1つめの役割はあてはまりません。そして

威嚇，すなわち犯罪抑止力（犯罪を思いとどまらせる力）という機能ですが，この効果は実際のところはっきり証明されていません。逆に，死刑にあたる犯罪がなくなっていないことを考えれば，その抑止力への疑問も提示されます。またさらには，最高裁判所の述べた，特殊な社会悪を排除することで社会を防衛するという目的については，必ずしも死刑である必要はありません。憲法によって積極的に求められているわけではない死刑は，刑罰としても積極的な意味をみいだせていないのかもしれません。

| 拒否される死刑 |

憲法は，公務員による残虐な刑罰を禁止しています（36条）が，この点から死刑を考えてみましょう。そもそも憲法の「個人の尊重」からすれば，国家が国民の命を強制的に奪うことそのものが，人間性を否定する非人道的なもの（＝残虐）だと考えることもできます。ただうえに書いたように，現状の死刑制度自体は憲法に違反しないとされました。そこで，禁止されるかどうか，「残虐」かどうかについては，おのずと死刑の方法に着目することになります。

最高裁判所は，残虐な刑罰とは「不必要な精神的，肉体的苦痛を内容とする人道上残酷と認められる刑罰」だとしました。そして，現行の絞首刑は，苦痛を与えるほかの死刑と比べて許容されると判断しました。たしかに，より苦痛の少ないやり方として絞首刑を選択したことは明らかといえるでしょう。ただ，より残酷なほかの方法との比較の問題なのであれば，残虐でないと今後もいい続けられるかはわかりません。そして，薬物による死刑など現在ほかの国で採用されている残虐性の低いとされる死刑についてもあてはまることですが，それが本当に苦痛をともなっていないのかということについても，執行された死刑囚に聞けない以上，たしかなものとはいえません。

| 拒否されない死刑？ |

　犯罪は，被害者にとって，そして社会にとって非常に理不尽なものです。目的のわからない無差別殺傷(さっしょう)事件や，無関係の人をねらう破壊工作などは，むごく，やりきれない思いを生じさせます。得体(えたい)の知れない犯罪者がいつか社会に戻ってくることにたいし，漠然(ばくぜん)とした不安やおそれを感じることは避けられないことかもしれません。実際のところ日本では，死刑の存続賛成が大多数となっています。憲法が死刑の存廃そのものについて明確な判断をしているといいきれないのなら，ここは国民の総意にしたがうべきといえるのかもしれません。

　ただ，忘れてはならないのは，現代の死刑制度が人権思想の枠のなかで存続していなければならないということです。人権の価値は，多数決による決定とは必ずしも一致しませんし，多数者が少数者を脅(おびや)かすことも少なくありません。死刑の存廃については，この観点から考察する必要があるといえるでしょう。

もう一歩

　死刑廃止にあたって提案されることが多いのが終身刑もしくは仮釈放のない絶対的無期刑の設置です。これはよりよい選択なのでしょうか。受刑者に生きる希望をほとんど与えない刑罰は，ある意味死刑より残酷な性質をもつのではないかという指摘があります。死刑を廃止した国が一時的に終身刑を設定したものの，のちに廃止している場合も少なくありません。罪の重さと刑罰の目的，そして受刑者の人間の尊厳につき，一様に結論の出ない問題は常に残されています。

Ⅱ 人間の精神活動

16 心の中は聖域ではない？
—— 思想・良心の自由

　必修科目「法学入門」のウキタ先生の講義はわかりやすいという評判です。たしかに，教科書を読むだけではわからない法律問題についてうまく例をあげて説明をしてくれるので勉強がはかどります。

　ただ1点だけ，講義でモヤモヤとした気分にさせられることがあります。それは，「不良の集まりラグビー部のAくんがまじめで有名なサッカー部のBさんを待ち伏せして……」，「サッカースタジアムを建設するとだましてお金を集めラグビー場を作ったCさんは……」など，常にラグビーを悪者にして説明が行われることです。先生はサッカー部出身で，ラグビーに強いライバル心をもっているようです。

　先生は学生に同じ趣味や好みを強要しませんし，テストも公平に行われるようなのでホッとしていますが，ラグビー好きの自分にとっては講義中に心が苦しくなることがあります。必修科目なので出ないわけにはいきませんし，心の中を否定されているわけではないのでガマンをすればいいだけなのかもしれませんが，少しくらい配慮してくれてもいいのにと思いながら講義を受ける日々となっています。

心の中の重要性

　心の中で思うこと，考えることは，どのような意味をもつでしょうか。1つには，行動の基本的基準となる自身の決定の指針になるとい

う役割があります。人権の保障とは，結果的にその行為などが行えればよいというわけではなく，その前段階での自由な思考にもとづく自己決定がなされていることが前提となっています（☞*9*）。たとえば，ある宗教の信者の礼拝という行為は信教の自由によって保障されます（☞*17*）が，それは自分の心の中の信仰の自由が確保されていてこそ意味をもちます。また，芸術作品を制作し発表することは，心の中で訴えたいことを自分の思うようなかたちにして他人に伝えることだといえますが，だれかに指示されたり制限を受けたりしながら行われるのであれば本来的な意味での価値をもちえません。このように，心の中は，外部に向けて表される行動の基盤として，自由な状態であることが必要とされるのです。

また心の中は，その自己決定につながる部分に限定して保護すればよいというものでもありません。そもそも心の中の外部への表出は，それを決定する瞬間だけではなく，そこにいたるまでのその人の人生における自由な心の中の形成があったからこそのものだともいえます。そしてそれは，生きていく道しるべとなる，その人の人格にかかわる重要な世界観や人生観に支えられているともいえます。こう考えれば，心の中の自由はより広く保たれることが重要だといえるでしょう。

憲法が保障する心の中

これらのことから憲法19条は，「思想及び良心の自由は，これを侵してはならない」と，心の中の保護を宣言しています。この「思想及び良心」は，「内心における考え方ないし見方」だと考えられており，心の中は広く保障されているといえそうです。ただ例外はあり，たんに「知っている／知らない」といったことは保障の範囲外となります。たとえば裁判で証人としてよばれた場合，本人が心の中にしまっておきたいことであったとしても証言することが強制されますし，ウソを

つけば偽証罪に問われます。

　それ以外の心の中の作用については，宗教上の信仰に並ぶような世界観や人生観など，個人の人格形成の中心部分にあるものから，ものごとの是非，善悪にかんする価値判断など広く心の中一般の作用までさまざまなものが考えられます。このうちどこまでが憲法の保護を受けるべきかという点については，世界観・人生観などの人格にかかわる領域に限定すべきという意見と，それ以外の心の中一般までを含むとすべき，という2つの意見があります。しかし，これらは激しく対立しているわけではありません。個人の人格形成と深くかかわる領域については保障が当然に及ぶべきですし，それ以外でも人格形成に寄与する程度はさまざまなので，人格形成とは表向きにはかかわらないので保障しなくてよいともいえず，明確な線引きは有益とはいえないのです。

心の中に手が届く？

　「秘めたる想い」という言葉に表されるように，そもそも心の中のことは，自分が外に出そうと思わないかぎりは他人には知られることはありません。だとすれば他人が，とくに国家が心の中に到達することや思考の形成を妨害することは不可能に思われます。ただ，心の中すべてがさらされるわけではないものの，支持政党や政治意識についての調査など，必ずしも答えなくてよいものであったとしても，やり方によっては意図せず表に出てしまうこともありえます。そしてまた，他者が心の中の思考の形成に影響を与えようとする場合には，特定の思想を強制するような強い方法は必要ありません。たとえば一定の否定的な情報の発信によって「自分の考えていることが価値をもたないかもしれない」と思わせる空気を作り出すことで十分です。こういう方法は，より多くの人によって，とくに国家によって用いられること

でより効果を上げることができます。そこには本来の意味での心の中の自由は存在しなくなります。この意味で国家は、人の心の中にたいし影響を及ぼしうる存在であることは間違いなく、それゆえ憲法による心の中の保護は重要な意味をもつといえるのです。

心の中に影響を及ぼす国家

とはいえ、一般論としては、心の中にたいする侵害は把握(はあく)しづらいものだといえます。憲法は、侵害者としての国家のどのような行為に注目しているのでしょうか。

まず、問題になるのは、国家による特定の思想の強制です。国家が特定の思想を正しい／間違っているとして国民に強制／禁止することは、思想・良心の自由を侵害するといえます。次に、思想を基準とした特別扱いも問題となります。日本が占領下にあった1950年代、連合国軍最高司令部（GHQ/SCAP）D・マッカーサーの指示により共産党員やその同調者を官公庁・企業等から解雇したいわゆる「レッドパージ事件」は典型的な侵害例です。また、本人の意思に反した告白の強制も許されません。これは「沈黙の自由」ともいわれ、心の中を維持し形成する自由を保護するものです。直接的な告白の強制でなくとも、間接的な調査によってうかがい知ろうとすることも、心の中の維持・形成を妨(さまた)げるものであれば禁止されます。

行為の強制と心の中

こういった国家の行為は、現在では露骨(ろこつ)には行われにくいものだともいえます（それゆえ巧妙(こうみょう)に行われることはかえって深刻な問題を引き起こしますが）。近年問題になっているのは、なんらかの行為の強制によって個人の思想・良心の自由が侵害されるというケースです。典型的には、公立学校の卒業式などでの国旗の掲揚(けいよう)、国歌の斉唱(せいしょう)があげられま

す。起立・斉唱などの学校長の職務命令と，これに反対する教職員の思想・良心の自由の対立の問題です。一般的にいえば，この職務命令は式典の円滑な進行を目的とし，必ずしも教職員の思想・良心を直接攻撃するものではないといえるかもしれません。しかし，反対する思想をもつ人が存在することを認識したうえで，重い処分でもってこれを強制することは，彼らの思想・良心にたいする攻撃であるともいえます。ここでは，拒否者の調査方法，処分の重さなどから実際の場面での強制の程度をみたうえで，思想・良心の自由の侵害の程度を判断する必要があるといえるでしょう。

このことは，冒頭のウキタ先生の事例にもあてはまります。自分がラグビーが好きだということを先生は知る由もなく，またそれを変えろなどというメッセージは一切ありません。しかし，講義に出席し先生の話を聞くこと自体に強制力がある程度働くものである以上，特定の強いメッセージは心の中の維持・形成にたいする影響がないとはいえず，配慮があってもよいのかもしれません。ただ，講義などではあらゆる方面に配慮してしまうとおもしろみもなくなってしまうことも考えられるので，悩ましいところだったりします。

もう一歩

思想・良心と衝突することを理由にして法律にしたがわないことは可能でしょうか。たとえば，徴兵制を採用している国家では，信仰や世界観から軍隊の仕事につけない国民にたいして兵役を拒否すること（これを「良心的兵役拒否」といいます）を認めています。これを極端に考えれば，あらゆる法律をまもらなくてもよいということも考えられますが，そうはいえないことは明白です。法を拒否できる思想・良心とは，心の中でどのような位置づけにあるといえるでしょうか。

17 宗教を信じる者は救われる？
―― 信教の自由

　日本では，年間16日の祝日があります。これは，「国民の祝日に関する法律」（祝日法）という法律で定められています。読者のみなさんは，これらすべての祝日をあげることができるでしょうか。また，なぜその日が祝日とされているのかや，祝日にどういう意味があるのかを説明することができるでしょうか。

祝日と宗教

　5月3日の憲法記念日，これはいうまでもなく日本国憲法の施行日を由来としていますね。では11月3日の文化の日は？　この日は日本国憲法の公布の日に由来していますが，戦前は明治天皇の誕生日を祝う明治節とされていました。戦前と戦後では趣旨が変わったわけです（明治節にあえて憲法の公布の日をもってきたのかもしれません）。

　きりがありませんので，最後に11月23日の「勤労感謝の日」の由来はなんでしょうか。実は，新しくとれた穀物を供えることにより，神に農作物の恵みを感謝する新嘗祭（神道の祭りの1つ）が行われる日に由来しており，宗教色が豊かな日なのです。そうであれば，日本独自の民族宗教といえる神道とは異なる宗教の厳格な信者は，11月23日を祝日と定められていることに納得のいかないものを感じるかもしれません。むしろ，祝日を無視して勤労にはげむかもしれません。

宗教の意味

　この点にかんして，憲法は「宗教を信じる者は救われない」ことが

ないように，信教の自由を保障しています——宗教を信じる者は必ず救われることまでをも保障しているわけではありませんが——。

　宗教は，死をはじめ人間の力ではどうしようもできない不幸を受け止めて，そこから生きることの意味と救済を与えます。したがって宗教は，個人の人生観・世界観を形成するうえで大きな役割を果たしています。ある宗教を否定する，あるいは軽視することは，それを信ずる人の人格を否定することに等しいとすらいえるわけです。以上の趣旨から，信教の自由は，国家がなんらかの宗教を否定・軽視することを禁止しています。

世俗(せぞく)の世界と神の世界の衝突

　現在の日本で特定の宗教をねらいうちにした規制（たとえば，特定の宗教の信者であることを理由に公務員採用を拒否する例）はめったにありません。しかし，国家や地方公共団体が国民・住民一般の利益を実現するために行うさまざまな措置(そち)が，特定の宗教を信ずる人にとっては大きな負担を課す場合があります。多くの人々はなんとも思わない世の中の宗教とは関係のない措置が，特定の宗教のきまりごとや，それを内面化した信者の精神と深いところで衝突してしまう可能性があるわけです。「勤労感謝の日」を祝日とする祝日法も，宗教的少数派にとってはみすごすことのできない法律なのかもしれません。

　では，こうした世俗的規制と宗教的少数派の信仰との衝突をどのように解決していくべきでしょうか。裁判にまでなった２つの事例で考えてみましょう。

日曜はダメよ

　まずは，「日曜日」を大事にしたい宗派の人々の問題を取り上げましょう。

みなさんも子どものとき，小学校の授業参観を経験したことがあるかと思います。授業参観は，働いている両親のために日曜日に開催されることがあります。もちろん児童は授業参観にあたる日曜日に登校し，授業を受けなければなりません。しかし，毎週日曜日に教会で礼拝している児童はどうなるのでしょうか。教会に行くべきか，学校に行くべきか，かなり悩むはずです。そのうえで，自分の信ずるキリスト教にしたがって教会の礼拝に参加し，そのために，学校がこの児童を「欠席扱い」としたら，それは，児童の信教の自由を侵害したと判断すべきでしょうか。東京地方裁判所は，公教育上の特別の必要性があるため，欠席扱いをしてもやむをえないとしました。

　たしかに，公立学校が児童を「欠席扱い」にしたとしても，それだけをみれば軽い負担にすぎないので，児童の信教の自由の不当な侵害はないともいえましょう。しかし，授業の出席の強制が児童をかなり悩ませている，つまり内面の信仰と深いところで衝突している以上，出席を免除すべきであるという考えの方が説得的であるように思えます。

武器よさらば

　第2の事例は，以上と同じく学校にかんするものです。

　「エホバの証人」というキリスト教の宗派があります。「エホバの証人」は，聖書のなかにある「すべて剣を取る者は剣によって滅びる」という一節を重視して，武器をもって戦わないことを教えの1つとしています。この宗派の信者は，兵役を課している国々では自分の信仰を理由に兵役を拒否することを求めていますが，日本では次のような事件がありました。ある公立の工業高等専門学校では剣道実技が必修とされていました。しかし，「エホバの証人」の信者である学生は竹刀を使うことを理由に剣道受講を拒否したため，進級できず，最終

的には退学処分を受けたのです。

　学生に剣道実技を強制すること，これにしたがわなかったことを理由に進級を認めず退学処分を行うことは，学生の信教の自由を侵害するのでしょうか。この事例でも，必修の体育科目として剣道実技を学生に課すこと自体は，特定の宗教をねらいうちにするものとはいえません。しかし，剣道の強制は，武器を手に取らないという「エホバの証人」の教え，それを自分の行動基準としている学生の内面と深いところで衝突しています。そのうえで，①武道を学校で教える教育的意義は高いのかもしれないが，それは柔道などでも実現可能である，②病気等で見学する学生にたいしてはレポートなど代わりの課題を出すのに，なぜ「エホバの証人」の信者にたいしては剣道受講を強いるのか説明できない，③進級を認めず退学処分にすることの不利益は非常に大きい，という3点を考えますと，剣道受講を免除すべきであったといえます。最高裁判所も，結論として，このように判断しています。

| 皇帝のものは皇帝に，神のものは神に |

　以上の事例から考えると，世俗的規制と宗教的少数派の信仰の衝突を解決する基準は，次のようなものとなるでしょう。

　第1に，礼拝行為のように行為者の自発性によりなされることに意味がある行為（自発的行為）と，兵役のように行為者の動機に関係なく行為が現実に行われることに意味があるもの（外面的行為）に分けたうえで，自発的行為を強制することは許されません。

　第2に，宗教をねらいうちする意図はなく，外面的行為を強制する場合でも，特定の宗教の信者の内面と深いところで衝突するのであれば，外面的行為の強制を免除することが信教の自由により要請されます。ただし，免除しないことを正当化する強い理由がある場合には，免除しないことも許されると考えられます。また，免除する場合でも，

かわりの負担が課されるべきでしょう。

　以上でふれた事例のほかにも，宗教的儀式のために大麻(たいま)を使用する場合，大麻取締法違反として処罰すべきなのかなど，世俗的規制と宗教的少数派の信仰が衝突することは多くあります。神道では大麻は，けがれを払うために使われています。

　「天に栄光，地に平和」。天と地とのあいだにはさまれて苦しんでいる人々にどう手をさしのべるべきであるのか，みなさんも考えてみてください。

もう一歩

　ヨーロッパを中心に，イスラム教の預言者(よげんしゃ)ムハンマドを題材にした風刺画(ふうしが)が新聞や雑誌に掲載され，イスラム教徒の反発をかったことがあります。フランスでは，このような風刺画を掲載してきた雑誌社が襲撃を受けました。

　テロによる「解決」があってはならないことはもちろんですが，表現の自由と信仰の自由の衝突をどう読み解くかは，簡単なことではありません。なぜなら，この問題を考えるには，それぞれの国や社会が抱える問題（貧困や差別など）や歴史を理解しておく必要があるからです。たとえば，フランスでいうと宗教的多数派のカトリックにたいする風刺と，宗教的少数派のイスラム教にたいする風刺は，異なる意味をもつのか。後者の風刺は，ヘイトスピーチと考えてもよいのか。こうした問いは，フランスの固有の事情から投げかけられるものです。憲法を勉強する際には，歴史を勉強し，各国を比較する視点も重要となります。

18 お祭りに補助金を出すことは許されるか？
── 政教分離原則

　日本には多くの年中行事があります。たとえば，節分，ひな祭り，こどもの日，彼岸（ひがん），盆踊り，小学校の運動会などが代表的なものです。こうした行事に共通しているのは，人々の交流を目的とすることです。年中行事は，われわれの生活にうるおいを与え，一年を豊かにいろどってくれるといえます。しかし，昔からある年中行事の本来の目的は，人間的・自然的なものを超えた存在，つまり神との交流にありました。日々が平和で安全であることを願って，商業・農業・漁業を助けてくれる神，祖先の霊や自然の神々などといろいろな方法で交流をくり返し，その交流の儀式を特定の日に固定したのが年中行事ということになります。

夏祭り

　ここで神社の夏祭りについて考えてみましょう。春祭りが農村においてその年の農作物のできぐあいを前祝いしたり占（うらな）ったりする儀礼として，秋祭りが同じく農村において収穫を感謝する儀礼を中心にしているのにたいして，夏祭りは日本の都市型の祭りの典型であり，さまざまな病気や災害をもたらす悪霊（あくりょう）（本当は湿気と暑さのせい？）をしずめる意図があると考えられています。その特色は，悪霊をしずめるために，きらびやかな出し物をともなうことにあります。はなやかさが祭りのムードを高め，多くの見物人を集めることにもなりました。京都八坂（やさか）神社の祇園（ぎおん）祭が代表的なもので，現在でも多くの観光客を集めています。

祇園祭にかぎらず、昔からの夏祭りは多くの地方都市に存在しています。夏祭りを観光客を集める手段として注目する都市もあるかもしれません。市が観光客を集めるために夏祭りをより魅力的にしようと、この夏祭りの「保存会」（実際は、神社の信者の集団である氏子集団）に補助金を給付しようと考えることも十分ありえます。しかし、こうした祭りへの補助金は、憲法上、許されない可能性があります。

| 政治と宗教 |

憲法は、政治と宗教の分離を求めています。これを「政教分離原則」といいます。夏祭りへの補助金も、この原則と関係します。

政教分離原則が存在するのには、いくつかの理由があります。

第1に、*17*で扱われた信教の自由にたいする危険を前もって取りのぞくためです。西洋における「神々の争い」という言葉が示しているように、異なる教えをもつ宗教どうしは互いに排除しようとする傾向にあり、歴史上、そして現在でも宗教を理由とする争いは絶えません。ある宗教（一般に多数派）が政治権力を握るとそのほかの宗教（一般に少数派）を弾圧しかねず、こうした事態を未然に防ぐために宗教と政治は分離されなければならないと考えられたわけです。

第2に、かりに少数派宗教を表だって弾圧しなくても、たとえば多数派宗教のみ税金を安くするといったように、政治の世界が多数派宗教を特別扱いする政策を打ち出せば、少数派宗教は劣っているとのメッセージを社会に送ることになります。それは、少数派宗教を排除することにもなりかねません。

第3に、以上のように政治から宗教をまもるのとは逆に、宗教から政治をまもるという理由もあります。さまざまな考え方の調整を必要とする政治の世界に宗教の教えがもち込まれれば、政治が機能しなくなるからです。

このように政教分離原則は，信教の自由の側からも政治の側からも必要とされるきわめて重要なものです。宗教色のある夏祭りへの補助金も簡単に考えてはいけません。

| 不干渉か公平か |

しかし，宗教と政治は一切かかわり合いをもってはいけないのでしょうか。一切のかかわり合いを否定するのであれば，先ほど述べたように市がお祭りに補助金を給付することは，政教分離に違反します。神社の夏祭りが宗教的行事であることは明らかだからです。

ただ，市が補助金を出したのは，あくまで観光をさかんにするという世俗（ここでは，宗教とは関係ないといった意味）目的のためです（お祭りという文化財〔形のない文化財なので「無形文化財」とよばれます〕の保護という側面もあるかもしれませんが，これも世俗目的でしょう）。たとえば，同じ市が踊りを主体とする「よさこい祭り」の主催団体には補助金を出すのに，夏祭りの「保存会」には補助金を給付しないというのは逆に不公平であるような気もします。同じことは，宗教系私立学校と非宗教系私立学校のあいだ，仏像のような宗教的文化財と非宗教的文化財保護のあいだでも問題になります。

ここでは，政教分離原則の理念を，政治の宗教への「不干渉」（政治が宗教にかかわりをもたないこと）に求めるのか，それとも宗教と非宗教のあいだ，さまざまな宗教のあいだの「公平」に求めるのかという2つの考え方の争いが存在するのです。

| 一般常識という名の多数派の考え |

では，この問題について最高裁判所はどのように考えているのでしょうか。

最高裁判所は，まず，国家がさまざまな政策を実現するためには宗

教とかかわり合いをもたざるをえないことを原則として認めます。そのうえで，宗教とのかかわり合いをもたらす行為の「目的」および「効果」から考えて，このかかわり合いが社会的，文化的に一定の限度を超えると，政教分離原則違反になるといいます。この基準を，「目的効果基準」といいます。「目的」と「効果」を判断する際には，行為の外形(がいけい)に加え，①行為の行われる場所，②一般の人々の宗教的評価，③行為者の意図や宗教的意識，④行為の一般人に与える効果などを，社会通念（一般常識）にしたがって判断することが，最高裁判所によって指摘されています。

この考えは，どちらかというと「公平」に重点をおいているようにも思えますが，基準として明確であるとはいえません。むしろ，市による夏祭りの補助金は，裁判官が①から④のどれを重視するかによって違憲となったり合憲となったりする可能性があります（①を重視すれば違憲，②から④を重視すれば合憲となるでしょう）。そもそも「社会通念」という（宗教的）多数派の意識にしたがうことは，宗教的少数派を無視することになりかねません。

日本社会を，取り戻す？

近年の最高裁判所の判例の中には，国家と宗教のかかわり合いの限度を，具体的な事情を考慮して判断しようとするものもあります（これを，総合判断基準と言います）。ただいずれにせよ，「不干渉」と「公平」のどちらを重視すべきかが問われていることに変わりはないように思えます。そして，この問題の解答は結局のところ，どのような社会が望ましいのかというみなさんの考え方に左右されるといえます。

「不干渉」を重視する立場は，政治という公共の場に宗教という私的なことがらをもち込んではならないという社会を念頭においているといえます。政治と宗教は原則としてかかわり合いをもってはなりま

せん。したがって，夏祭りに補助金を給付することは原則として許されません。しかし，宗教色のないお祭りに市が補助金を出しているのであれば，「平等」という憲法上の価値を根拠にして，夏祭りへの補助金を例外として合憲と判断します。

他方で「公平」の理念を重視する考え方は，さまざまな宗教がお互いにゆずりあって統合された社会を念頭においています。宗教はすべて公共の場に立ち入ってかまいません。判例と同様，政治と宗教はかかわり合いをもつことを前提にするわけです。しかし，その場合には宗教と非宗教のあいだ，さまざまな宗教とのあいだで公平な扱いが求められます。市が補助金を出すことが特定の宗教（神社）を後押しするというメッセージを発するような目的・効果をもつ場合には例外として違憲となります。

日本人は，初詣は神社へ行き，結婚式は教会であげ，お葬式は仏式で行うといわれているように，さまざまな信仰をもつことに抵抗がないように思えます。年中行事の種類が多いことも，このことを物語っています。日本の八百万の神様の側も，分業化，専門化して，「和の精神」を尊び，喧嘩はしないとも言われています。こうしたことから，日本では「公平」を重視する考え方が受け入れられるのかもしれません。しかし，そうであればこそ，特定の宗教の教えや儀礼にこだわる少数派にたいして多数派は鈍感であってはならないのであり，お祭りの補助金も公平の観点から判断すべきといえましょう。

もう一歩

お祭りへの市の補助金が政教分離原則に違反するとしても，それによりだれかの権利・利益が具体的に侵害されているとはいえません。しかし，地方公共団体のレベルでは，具体的な権利・利益の侵害がなくても裁判所に訴えることができる住民訴訟制度（地方公共団体の違法

な公金支出をただす目的で提起できる訴訟）が存在するため，住民は政教分離原則違反を理由とするだけで裁判を起こすことができます。では，内閣総理大臣が靖国神社に参拝した場合，その政教分離原則違反は裁判で争うことができるのでしょうか。この場合，内閣総理大臣は自治体の長ではありませんので，住民訴訟制度は使えません。したがって，宗教上の理由で不快に感じたことにより，国家に賠償請求をするしか方法はありませんが，最高裁判所は，宗教上の感情を権利・利益として保護することを否定しています。

裁判を受ける権利

犯罪の疑いをかけられたり，あるいは自分の権利が不当に侵害されたとき，われわれは，裁判を通じ，真相を明らかにしたり権利を救済してもらうことになります。刑罰を科す権限を国家が独占していること，自らの手による権利の回復（「自力救済」といいます）が原則として禁止されていることから（☞ *14*），裁判を受けられるということは，近代国家において非常に重要な意味をもちます。

憲法は「何人も，裁判所において裁判を受ける権利を奪はれない」（32条）としています。これは具体的には，「裁判」が内閣や国会のもとにはない「裁判所」において行われなければならないこと，また「裁判」が，当事者だけでなく一般に「公開」され，当事者が裁判官の面前で口頭で主張を述べ論争する「対審」のかたちをとらねばならず，その結果が理由の付いた「判決」というかたちで示されることを求めています。そしてこのようなしくみを前提としたうえで，刑事裁判では被疑者・被告人の権利（☞ *14* もう一歩）が保障される公正なものであること，民事・行政裁判では裁判そのものを理由なく拒絶されないことが不可欠となるのです。

（浮田　徹）

19 DVDのモザイク
―― 表現内容規制

　携帯電話がまだ普及していなかったとき，恋人の自宅に電話をかけるのは緊張を強いられるものでした。親が電話口に出たら，どうしよう……。

　しかし，現在でも，ドキドキを感じる瞬間がないわけではありません。その1つの例が，男性がレンタルビデオ店で，いわゆるアダルトDVDを借りるときです。そんなときにかぎって，レジにいるのは女性の店員さんです。レジにいる女性にどう手渡そうか，一瞬のことだからガマンしようか，などなど考えてしまうものなのです。

　こうした難局を乗り越えてDVDを借り，大人として成長したなあと実感しながら，すがすがしい気持ちでDVDを見るそのとき，モザイクがかけられていた！！　この絶望感はとても表現できるものではありません。「金を返せ」とレンタルビデオ店にいおうか，しかしそうすると，ますますあのレジの女性に自分の好みがバレてしまう。結局のところ，泣き寝入りするしかないのでしょうか。

　しかし，諦めるのはまだ早い。こうした声なき声を代弁する憲法学者が存在するのですから。

| 『いちばんやさしい憲法入門』 |

　この本よりもずっと難しい，しかし（それゆえに？）いい本だと人気のある『いちばんやさしい憲法入門〔第6版〕』（有斐閣，2020年）という本があります。この本に「憲法学者はポルノがお好き？」というお話があります。どうぞ手に取ってみてください。おもしろいで

すよ。

　さて，憲法研究者のウキタさんもポルノを含む性的表現が大好きです。大学の研究室には，ウキタさんが集めたアダルトDVD，ポルノ雑誌であふれています。誤解なさってはいけませんが，こうしたものは，もちろん，あくまでウキタさんの研究のための資料です。

　ウキタさんは，こうした資料を毎日読みときながら，「性表現こそ，多数派の道徳に異議申立てをする反権力表現なのだ！」と思うようになりました。モザイクをかけるなどもってのほかである。こうした「自主規制」がなされているのは，刑法で「わいせつ」物の販売などが禁止されていることからきている。反権力という表現の自由をまもるためにも，まずはこうした法制度を憲法の観点から見直すべきである。このように考えています。決して，「照れ隠し」ではありません。

| 恥ずかしがり屋の裁判所 |

　しかし，日本の裁判所は，ウキタさんの期待を裏切って，どぎつい性表現のある映画の上映などを「わいせつ物頒布罪」（刑法175条）として有罪とし続けています。「わいせつ」とは何か？　難しい言葉が使われていますが，要は，①場所をわきまえずに性欲を起こさせ，②ふつうの人が見たり読んだりしたら，恥ずかしく思い，③人前で性行為をしないといった道徳に反するような性表現のことです。

　ただし，以上の3つにあてはまったとしても，最近の裁判所は，作品全体の構成などを検討したうえで，受け手の性的興味にうったえるものかどうかで「わいせつ」を判断する傾向にあります。その結果，芸術性，学術性の高い作品は，「わいせつ」とされないことも多くなっています。

　このように，「わいせつ」と判断される作品の範囲は狭まってはいますが，裁判所は「わいせつ物頒布罪」が憲法21条の表現の自由の

保障と矛盾していないことを，当然の前提としています。しかも，「わいせつ」にあたるかどうかの最終的な決め手は，「社会通念」，つまり「常識である」という，わかったようでよくわからない基準を使っていますので，人々は露骨な性表現を伝えることにビビってしまいます（これを「萎縮効果」といいます）。映画やアダルトDVDにモザイクがかけられているのも，恥ずかしがり屋の裁判所が「わいせつ」と判断しないようにするための苦しまぎれの方法です。

ハードコア・ポルノだけを規制しよう！

憲法学者のなかにも，裁判所と同様，「わいせつ物頒布罪」それ自体は憲法に違反しないとしつつも，その範囲を「ハードコア・ポルノ」（性表現のなかでも，とくに露骨でどぎついもの）だけに限定しようと主張する人たちがいます。

この考え方は，社会的害悪（社会にとっての悪い影響）をもたらす表現は本来，憲法の表現の自由の保護の対象ではないという考え方から出発します。そして，この保護の対象となる表現とそうでない表現の2つのあいだをどう線引きするかを問題とします。

頭のなかでは国境線のように線引きできるのですが，実際上はなかなかできません。また，たとえ線引きできたとしても，憲法の保護が及んでいる境界線スレスレの表現は，一歩間違うと，国境警備兵から撃たれるように，「わいせつ物頒布罪」に問われてしまいます。そのため，だれがどうみても「わいせつ」ではない安全地帯にまで引き下がって性表現を行うことになります。これでは，安全地帯から境界線までの，表現の自由により本来保護されている範囲内の表現活動がなされないことになります。公開の場での討論などによる世論形成にもつながるため民主主義にとって不可欠な，その意味で社会全体にとって利益のある表現の自由はきちんと保護される必要があるにもかかわ

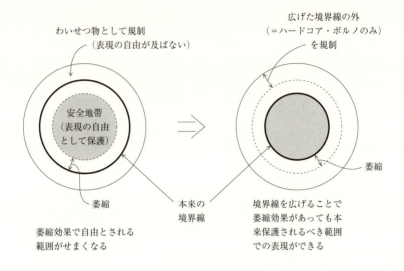

らず，そうなのです。

そこで，安全地帯から境界線の範囲に等しい幅まで，表現の自由の保護の対象をひろげる，つまり境界線をのばすというアイデアが示されました。この場合にも萎縮効果が生じますので，結局は安全地帯の線と本来の境界線が一致することになります。そして，新たな境界線の外にあるのが，「ハードコア・ポルノ」ということになり，モザイクなどを施さずに流通させると犯罪となるとするのがこの考え方です。

害悪ということが害悪である

しかし，ウキタさんは考えます。モザイクで防ぐべき社会的害悪とはなんなのか？

「性道徳の維持」のためといわれるが，法と道徳は別のものではないか。①性犯罪の増加を防ぐため，②見たくない人の見ない自由をまもるため，③青少年の健全な育成のため，とも人はいう。しかし，①

の性犯罪の増加を示すデータは存在していない。②については，恥ずかしがり屋ではないウキタさんのように性表現を見たい人の自由よりも，なぜ見たくない人の自由を優先させるのか，理由が示されてはいない。③については，かりに，どぎつい性表現が青少年の育成を妨げることを認めたとしても，なぜ大人の見たい自由まで制限されるのか，ここでも理由が明らかではない。

このようなウキタさんの考えは，常識からかけ離れているように思われるかもしれません。しかし，表現の自由の考え方からすると十分に成り立つものです。

「わいせつ」規制のような表現の内容の規制は，権力者にとっての「誤った思想」を排除するために行われるおそれが強いといわれています。このような規制は，どのような考えを抱くかは個人の選択にまかせるべきであるという*8*で解説された考え方を正面から否定するものであり，原則として許されません。

また，そもそも「わいせつ」表現を伝えることはなんら社会的害悪をもたらすものではありません。むしろ，多数派の固定観念や偏見（へんけん）を打ち破るためには，どぎつい性表現こそ憲法でまもられるべきでしょう。そもそも，人間はいろいろなものを見て，試行錯誤（しこうさくご）をくり返しながら成長していくのですから，むやみにモザイクをかけて，性表現を見る機会を奪ってはならないといえます。

以上のように考えると，「わいせつ物頒布罪」は憲法に違反することになり，映画にモザイクがかけられることもなくなるかもしれません。

もう一歩

『いちばんやさしい憲法入門』のコラムでも紹介されているように，性表現は女性を商品化する「差別的表現」であるとの理由で性表現へ

の規制を正当化するフェミニズム法学の主張があります。この考え方は，107ページにあげた①から③の理由よりも，女性の権利の侵害に着目する点で説得力があります。しかし，同じフェミニズムに属する論者から，女性の性の解放として性表現を賛美する見解も出されており，活発な議論が展開している状況にあります。近時，さかんに議論されているヘイトスピーチの規制の可否も，マイノリティにたいする差別的表現の問題として，同様の論点を提起しています。

　なお，ここの文章も，男性優位で書かれているとフェミニストから批判される可能性があることをお断りしておきます。

Coffee Break ⑤

表現の自由と著作権

　東京2020オリンピック競技大会は，準備段階において，多くの問題を提起しました。そのうちの一つに知的財産権をめぐるものがあります。

　知的財産権とは，大きく分けると，産業の発達の寄与のための工業所有権と，文化の発展の寄与のための著作権に区別できます。工業所有権は，発明に係る特許権，マークに係る商標権などを含みます。2015年に，東京2020オリンピックの公式エンブレムの盗作騒ぎがありました。これは，商標権の侵害が問題となったものです。また，2021年4月には，オリンピック開閉会式の演出内容を記事にした雑誌社に対し，大会組織委員会が抗議したことがありました。この抗議は，内部資料を写真掲載し，販売して著作権を侵害したことを理由とするものです。2021年4月に起きた問題は，表現の自由（報道の自由）と著作権の緊張関係を考えるうえで，示唆に富みます。たまたま著作権を有していることを良いことに，その侵害を理由として批判的な記事を書くジャーナリストや報道機関を牽制する。大会組織委員会の抗議がそうである，とはいいませんが，一般論としてこのような主張を許せば，ジャーナリストや報道機関が萎縮し，自己制約して，国民の知る権利が損なわれてしまう恐れがあります。

　裁判実務に目を転ずると，例えば，名誉棄損等を理由とする裁判所の事前差止は，ごく例外的な場合にしか認められていません。にもかかわらず，著作権侵害行為を理由とすれば，著作権法という法律で差止請求権が規定されていることもあり，事前差止が簡単に認められる傾向にあるとの指摘もあります。表現の自由は民主主義にとって不可欠です。生き生きとした言論空間を確保するため，表現者が萎縮しないように，著作権者も十分な配慮を行うべきです。裁判所の事前差止だと，なおさら十二分な配慮が求められます。著作権は，なぜ保護されているのか。オリンピックを契機として，著作物等の保護期間も含め，改めてしっかりと考える必要がありそうです。

（西土　彰一郎）

20 コマーシャルも規制される
―― 営利表現

　ウキタさんは，秘(ひそ)かに恋愛感情を抱いているニシドさんを口説(くど)き，なんとかデートの約束をしました。気合いの入ったウキタさんは，雰囲気のよいところでデートをしようと，まずはお店選びをはじめます。しかし，普段，仕事ばかりしているウキタさんは気の利(き)いたお店を知りません。そこで，友人の噂(うわさ)，インターネットの口コミサイトでの評判，そしていくつかのお店の広告……，いろいろな情報源を使ってお店を選ぶことにしました。ウキタさんは，どの情報を重視したのでしょうか。

情報化社会

　社会は噂や広告であふれています。

　条件に合ったお店を探しているウキタさん，朝起きて新聞を受け取りますと，折り込み広告はもちろん，新聞の下の方の小さな広告までチェックします。電車で通勤しているウキタさんは，車内の中吊(つ)り広告にもついつい目がいってしまいます。この前は，車内で会った友人とお店についての噂で盛り上がりました。帰宅してパソコンをひらくと，過去の検索履歴が記憶されているためか，検索サイト上で関心のあるお店の広告がよく表示されます。インターネットの口コミサイトをのぞいて評価の高いお店を確認します。民放のテレビ番組を見ている際には，コマーシャルも参考にしようと一生懸命です。

| 選択のとき |

このように生活に情報があふれているなか、最後はウキタさん自身がお店を選択しなければなりません。その際、頼るべき情報について、おおまかに次のようにいうことができます。

広告は、企業が一方的に流している情報といえます。広告主が責任をもって情報を提供していることはたしかです。これにたいして、たとえば口コミサイトは、実際に利用した人の評価であることが基本です。そうであるから信頼できると多くの人が考えると指摘されてはいます。しかし、「やらせ」の問題も生じており、情報提供の責任という観点からは疑わしいところがあります。

ウキタさんはこの点を見抜いて、広告を重視し、とあるドイツレストランを見つけだしました。そこでのデートの結果は上々、ニシドさんも大満足の様子だったそうです。よかったですね、ウキタさん。

| 広告にも問題あり |

しかし、広告にも問題がないわけではありません。広告は、企業がその商品を売るための宣伝であることにかわりはなく、受け手に商品をアピールするために、ある程度、誇張した情報を含まざるをえません。それが行きすぎて、商品にかんしてウソの内容を流したり、誤解を招くような表現がされたりしますと、受け手に間違った選択をさせてしまうおそれがあります。とくに、人々の健康と直接関係する食料品や医薬品などの広告は、慎重でなければならないでしょう。

こうした観点から、日本においても、虚偽広告（ウソの広告）や誇大広告（大げさな広告）を規制するさまざまな法律があります。逆にいうならば、こうした規制があるからこそ、広告主が責任をもつようになり、受け手の信頼もえられることになります。

広告は経済活動か,それとも表現活動か?

もちろん,虚偽広告や誇大広告を理由にして,行きすぎた広告の規制がされていいはずがありません。規制がすぎると,本当に知りたい情報がわれわれに届かなくなるおそれがあります。では,どの程度の広告の規制なら許されるのでしょうか。

この問題を考える場合には,広告ははたして経済活動であるのか,それとも表現活動であるのか,明らかにしておく必要があります。つまり,憲法で保障されている経済的自由なのか,同じく憲法で保障されている表現の自由なのかが問題になるのです。どっちでもよいと思われるかもしれません。しかし,法からみると,これは避けては通れない問題です。表現の自由は民主主義にとって不可欠であるため,その規制はきわめて重要な利益を保護するためだけにしか認められなくなります。他方で,民主主義と直接結びついていない経済的自由の規制はそこまで厳しく考えられる必要がないので表現の自由と比べて広い規制が許されています。では,どう考えるべきでしょうか。

広告からのメッセージ

まず,広告を表現活動としてとらえる考え方があります。これは,さらに2つの見方に分けられます。

1つの考え方は,広告も商品にかんする「意見」であると割り切るものです。

もう1つの考え方は,視点を変えて,広告の受け手の立場から広告をみるものです。広告からどんなメッセージを読み取り(あるいは無視し),行動の選択の助けとするかは,人それぞれです。同じ広告であったとしても,素直に商品をアピールするメッセージとして受け取り,消費行動を選択する人もいますし,政治的メッセージを読み取る

人もいるかもしれません。また，極端かもしれませんが，スーパーの折り込み広告を見た人が，今までよりも物価が上がっていることに怒り，政府の経済政策にたいする批判的意見をもつようになることもあるわけです。このような可能性がある以上，受け手の精神的な行動選択の幅を確保するために，送り手の宣伝活動を厚く保護する，つまり「表現活動」としてとらえることになります。

広告は商品を売るためのもの

ただし，こうした考え方にたいしては，次のような批判があります。広告はあくまでも商品を売るための宣伝であるため，広告主の経済活動である。とりわけ，受け手の表現の自由に役立つ可能性があるという理由だけで，広告主にも表現の自由の保護が及ぶことにはならない。

たしかに広告を経済活動として把握（はあく）する方が自然かもしれません。その場合，表現活動としてとらえる場合よりも，広く規制が認められます。しかし，そうだとしても，その規制は人々の健康といった重要な利益を保護するうえで必要最小限のものでなければなりません。そして，広告が受け手の大半により政治的なメッセージとして読まれるような場合には，表現活動の面も大きいので，その規制はごく例外としなければならないといえるでしょう。

広告は多様

結局は，広告ごとに分けて規制のあり方を考えていくことになります。たとえば，実際にあった事件として，灸（きゅう）師がお灸がきく症状として，病名を記載した広告を禁止する法律が憲法上の権利を侵害するのではないかが問題になったものがあります。最高裁判所は，「国民の保健衛生上の見地」から病名を記載した広告禁止を合憲としています。最高裁判所はこの種の営利的広告は経済的自由により保護されて

おり，表現の自由と比べて広く規制が認められると考えているようですが，そうだとしても誤解を招くおそれのない広告までなぜ規制することができるのか説明できないとの批判があります。

他方で，広告のなかにも表現の自由の保護を受けるべきものもあるように思えます。その一例が，「ショック広告」とよばれるものです。かつて，ヨーロッパを中心に，アパレルメーカーのベネトン社が，流出した原油まみれの鳥の写真，第三世界（発展途上国）の子どもたちが重労働している写真，そして「H. I. V. POSITIVE」というスタンプが押された裸体の写真を用いてベネトン社のロゴだけを付けた「広告」を出したことがあります。用いられている写真の読者の受け止め方という点からしますと，こうしたショック広告は表現活動の1つとして，その制限は原則として許されないといえるでしょう。

なお，マスメディアの広告規制については，それが及ぼす紙面・番組制作への影響の観点からも考慮される必要があります。広告の収入が入らないと新聞の紙面やテレビ番組などを作ることができませんからね。もっとも，憲法改正国民投票運動との関連で有料広告放送を規制すべきかについては，議論があります。

もう一歩

営利広告とは別に，個人や団体が正面から社会的問題について世論にアピールするための広告，つまり「意見広告」という形態も存在します。意見広告が表現活動であること自体に疑いはありません。しかし，ある個人・団体の意見広告がマスメディアに掲載された場合，このマスメディアの掲載行為は，紙面等のスペース販売の自由（経済的活動）であるのか，編集権の行使（表現活動）であるのか争いがあります。この論点は，意見広告にたいする反論文の掲載がマスメディアに強制されうるのかについて考えるに際して，重要となります。

Coffee Break ⑥

表現内容規制・表現内容中立規制

 差別的表現を規制する場合とビラ貼りを規制する場合、どちらが表現の自由にとって大きな打撃となるでしょうか。

 難しい問題ですが、差別的表現規制の方が表現の自由を大きく損なうといえるかもしれません。差別的表現規制は、表現内容自体が悪いとの理由で規制されます（これを「表現内容規制」といいます）。それは、国家権力にとって都合の悪い表現を規制しているおそれがあります。他方でビラ貼りは、ビラに書いてある内容に関係なく、景観を害するとの理由で規制されており（これを「表現内容中立規制」といいます）、「言論弾圧」の可能性は低いはずです。ビラ貼り以外の方法でも自分の言いたいことを伝えることができますしね。

 しかし、表現方法が異なると、言いたいことが伝わる人々や効果にもちがいが出てきます。だからこそ、言いたいことだけでなく、表現方法も自由に決定すべきであり（☞ *22*）、ビラ貼りを簡単に規制していいはずはありません。また、ビラ貼りができそうな場所すべてについて規制してしまうと、ビラ貼りに頼らざるをえない人々の表現内容が事実上他人に伝えられないおそれがあります。この場合には、表現内容規制に匹敵するものとして扱うべきでしょう。

（西土　彰一郎）

21 インターネットはなんでもあり？
―― 情報通信技術の進展と表現の自由

　温厚(おんこう)で人当たりのよいウエキさんは,「善良な人」という仮面を脱ぎすてて本来の自分に戻ることができるのは, Twitter に投稿するときであると感じています。そこでは, さまざまなテーマについて匿名(とくめい)(名前を出さないこと)のまま思っていることをぶちまけることができるからです。ときには, 調子にのって, 他人を傷つける過激で感情的な投稿を行うこともありますが, インターネットで流れている情報なんてだれも信用しないだろうと気にしていません。ウエキさんは, 学校, バイト先などで「善良な人」を演じるためにも, インターネットは「なんでもあり！」, の世界であってほしいと願っています。こうしたウエキさんの悲痛な叫びは, 聞き届けられるべきでしょうか。

第三の世界

　インターネットは新しい言論の場をひらいたといわれています。

　以前の言論の場は, みんなの前で名前を出して表現する場合 (これを「公的言論」とよびます) と, 電話や家庭内の会話のように特定の少数者が表現を行う場合 (これを「私的言論」とよびます) とに分けられてきました。しかし, インターネット上での表現は, 一方で匿名表現が多いという点で公的言論ではなく, 他方で特定人のあいだの発言ではないという点で私的言論でもありません。むしろ, 個人の○○などの属性やいろいろと面倒なつきあいの多い社会関係から個人を解き放ちながら見知らぬ他人と対等の立場でコミュニケーションできる第三の言論の場というべきものです。

この世界では，人はのびのびと表現し，それにたいする率直な反応をすぐに受け取ることにより，自分の考えを深いものにすることができます。また，多くの人々がさまざまなことがらについて，なんらためらうことなく考えをいい合うことにより，重要なことがらをみんなで決めていく民主主義が育まれることにもなります。オンラインの世界は，個人と社会の個性をそれぞれ磨くうえで新しい可能性を提供するのです。

オフラインとオンラインはちがう世界？

　しかし，率直に考えをいうことのできるインターネットには，議論を白熱させたり，感情的にしてしまう傾向があります。インターネット上では他人の悪口が多くみられるのも，こうした特性によるのでしょう。もし，このような表現をみんなの前で行ったら，大きな問題に発展しかねません。

　インターネットでは匿名で表現できるから大丈夫と思うかもしれません。しかし，「プロバイダ責任制限法」という法律にもとづき，被害者は電子掲示板の管理者だけではなく，携帯電話会社のような回線接続業者にたいしても加害者（発信者）の氏名や住所を開示するよう求めることができます。しかも，2021年の法改正により，裁判手続が簡略化されて，被害者が訴えを起こしやすくなりました。やはり，悪いことはできないのです。

　被害者からすれば，オフラインの世界であれオンラインの世界であれ，自分の権利・利益が損なわれたら，その救済が求められて当然といえます。オフラインで違法なものがオンラインで合法となるわけにはいきません。ただ，せっかくインターネットがひらいた第三の世界の可能性を無にしてしまうのも惜しい気がします。ウエキさんの悲痛な叫びもわからないではありません。オフラインで違法なものはオン

ラインでも違法であるという考えをばか正直にまもるべきでしょうか。それとも，権利・利益の救済と第三の世界の可能性に折り合いをつけるうまい方法があるのでしょうか。インターネットにおいてよく問題になる「名誉毀損」という問題を例にして，このことを考えてみましょう。

なぜ名誉にこだわる

そもそも，名誉とはなんでしょうか。そして，なぜ名誉を保護する必要があるのでしょうか。

一般に，名誉とは社会的評価を意味し，名誉権とは社会的評価を受ける自由です。人はそれぞれ社会で努力し，周囲から認められ，その評価を足場にして将来の活動の幅を広げることができます。にもかかわらず，その努力の存在を否定するようなウソが勝手に流され，周囲の自分にたいする社会的評価が低下するとしたら，どうなるでしょうか。今までの努力がなかったことになりかねません。こうしたことがないように，法は社会的評価である名誉を保護しているのです。

他人についても自由に語ろう

他方で，社会的評価を広く保護しますと，他人について自由に語ることができなくなります。そこで法は，表現のなかで示された，ある人の社会的評価を下げるような事実が，①表現の受け手が知りたいと思うようなものであること，②受け手の利益のために表現されたものであること，③その事実が本当であることを表現者が証明することができたら，名誉を傷つけてはいない，つまり名誉毀損にならないと定めています。①，②は，表現の自由の民主主義的な意味（☞ *19*）にもとづいています。③はウソの社会的評価は保護に値しないという考慮にもとづいています。

もっとも、③の証明は難しく、本当かどうか確信がもてない場合には人は表現することを自らおさえてしまう、いわゆる萎縮効果が発生するおそれがあります。そこで最高裁判所は、たとえ③の証明ができなくても、確実な根拠により事実が本当であると信じていたことを証明すればそれでよいと述べています。

確実ではない「確実な根拠」

　多くの事件では、この確実な根拠があるかどうかが、名誉毀損の成立・不成立の分かれめとなっています。したがって、どのような場合に確実な根拠があったといえるのかが、大きな問題となります。

　最高裁判所によれば、ここでいう確実な根拠といえるためには、表現者は事実が本当であることを裏づけるための取材をしている必要があるといいます。これは、報道機関の記者を念頭においているのでしたら、納得できる面もあります。報道機関の発信力を考えますと、一般の人についてなんらかの批判を加える場合には慎重な取材が求められますし、それを行う能力もあるといえるからです。しかし、一般の人々にも同じ要求をするのは、実際のところ、他人について語るのを「やめろ」といっていることと同じではないかという指摘もあります。

名誉の負傷

　では、インターネット上の表現にかんして、この確実な根拠をどのように考えるべきでしょうか。

　一方で、インターネット上の情報は多くの利用者があっという間にみることが可能であり、名誉毀損の被害は深刻なものとなる可能性があります。そのため、裁判所のいう確実な根拠がここでも必要とされるといえるかもしれません。しかし他方で、インターネットには、意見のやりとりをするなかでお互いにすぐに反論ができるという特性が

あるので、裁判所の考える確実な根拠をそのまま用いるのではなく、事件の内容に応じて柔軟に考えるべきともいえます。そもそも、言論の弊害は反論によって対処すべきであり、すぐに裁判所に頼るべきではありません。他人と対等の立場ですぐにコミュニケーションできるインターネットでは、有効に反論できる可能性が十分にあります。この可能性を前提にしたうえで、たとえば被害者側の挑発的な表現に対抗するなかで加害者が名誉毀損的な表現を行ったような場合には、被害者に、裁判所に訴えるのではなく反論をするよう要求したとしても、不公正とはいえないでしょう。

いずれにせよ、被害者に反論を要求できる条件がそろっていないのであれば、裁判所のいう確実な根拠がインターネット上の表現にも求められます。ウエキさんは、「善良な人」を演じることに疲れはててインターネットの世界に誘い込まれたとしても、本当の自分に戻ることは許されてはいないのです。

もう一歩

インターネットにおいて名誉権や著作権などを侵害する違法な情報が流された場合、加害者（発信者）だけではなく、プロバイダなど情報を媒介する者の責任も問題となります。媒介者には違法情報を削除する義務があるにもかかわらず、それを行わなかった場合、被害者から損害賠償を請求される可能性があります。しかし、どのような場合にこのような義務が成立するのか、発信者の表現の自由の観点から難しい問題を投げかけています。「プロバイダ責任制限法」を参考にしながら考えてみましょう。

22 ビラを配るのも注意が必要！
—— 表現の時・所・方法の規制

　大学の演劇部の部員であるイノウエさんは、2週間後の公演を控え、練習にあけくれていました。そうしたなか、イノウエさんはモンデン部長から公演の宣伝ビラを配るようにいわれます。ノルマは500枚。大声をあげて大学の正門前を行き交う人々にビラを渡そうとしますが、なかなか受け取ってもらえません。このままではノルマを達成できない……。そのとき、イノウエさんはすばらしいアイデアを思いつきました。多くの人が行き交う駅の改札口の前でビラを配り、それでも残ったものは、大学の近くにあるマンションに立ち入って各部屋のポストに入れればいいではないか！　しかし、こうした行為は、モンデン部長の指導よりももっとこわい結果を招くおそれがあります。なぜでしょうか。

表現方法はいろいろ

　他人になんらかの情報を伝える行為、それは一般に表現行為とよばれます。この表現行為は自由である必要があります。なぜなら、いいたいことをいうのは人間の本性といえますし、表現行為により、さまざまな情報が社会に行きわたり、人はそれを吸収することにより、自分の感性を深め、社会全体のことを考えるための知識を高めることもできるからです。

　もちろん、表現の仕方も自由に決めることができます。たとえば、恋愛感情を抱いている人に自分の気持ちを伝えたいとします。この場合、放課後に体育館の裏によび出して、面と向かって告白する、ラブ

レターを送る，携帯電話で伝える，親友に恋のメッセンジャーになってもらうなどいろいろあります。どのような方法をとるのかは，その人次第なのです。

告白の場合は，「好きです」，「付き合ってください」といった情報を伝える相手は，基本的には1人です。では，情報をできるだけ多くの人に届けたいと思うときは，どのような方法をとることが考えられるでしょうか。

テレビは

放送により情報を伝えることができれば，話は早いでしょう。しかし，自分で放送局を営むとなればお金がかかりますし，そもそも電波の混線の防止などの理由で法律上勝手に放送を行うことはできません。すでに存在する放送局に情報を伝えるようお願いしても，取り上げてもらえないことの方が多いでしょう。多くの人がほしがる情報でなければ，なおさらです。

こうした状況をうち破るために，マスメディアに自分の届けたい情報を伝えてもらう権利を主張したとしても，このような権利はマスメディアが自分たちの発信したい情報を選べなくしてしまうため，裁判所で認められることはありません。結果として，多くの人が好む当たりさわりのない情報が放送により伝えられ，少数者の意見はますます伝えられにくくなってしまいます。

インターネットは

インターネットはどうでしょうか。

たしかに，現在では放送よりもインターネットの方が社会的な影響力を及ぼしているともいわれています。ホームページを開設することにより，情報を広く効率的に伝えることもできるかもしれません。

しかし，あまりにも複雑化したオンラインの世界では，人々は自分の志向に合うサイトしか訪問しないといった現象が指摘されています。さまざまな志向を有している人々に情報を伝えるという目的を果たすうえで，インターネットは思いのほか無力なのです。

テレビよりもインターネットよりもビラが重要なのだ

以上からすると，放送やインターネットといった現代的なメディアよりも，むしろ古典的な表現手法の方が，情報を多くの人に届けるにはぴったりなのではないかという気がします。その一例が，ビラの配布です。ビラの配布は費用をあまりかけることなくだれにでも簡単に，しかも効率的に情報を伝えることができます。皮肉なことですが，メディア技術が進展するほど，表現の自由にとって，ビラを配布することの重要性が増すことになるわけです。

ビラ配りの恐怖

しかし，ビラを配布するためには，イノウエさんが考えたように，多くの人がビラを受け取ってもらうのに適した場所に立ち入る必要があります。この立ち入り行為は，実はそんなに気楽に考えてよいことではありません。

たとえば，通勤通学などに利用する駅前の広場において「無断でビラ等を配布することを禁ずる」などの掲示をよく見かけます。このようにして鉄道事業者が広場を管理しようとしているのです。

マンションの出入り口や団地等の敷地に入る手前でも，同じような掲示を目にします。マンションや団地の管理者の意思を無視して勝手にマンション等の敷地や共有部分に立ち入る行為は，住居侵入罪という犯罪になるおそれがあります。マンション等の郵便受けにビラを入れることは，場合によっては犯罪となることを覚悟しなければならな

いのです。

ビラを配って何が悪い！

　もちろん，多くの人々が行き交う場所でビラを配布するのは通行のじゃまになります。また，管理者の承諾なくマンションや団地内に立ち入る行為は，そこに住む人々の私的生活の平穏（へいおん）（おだやかな日常生活）を害します。盗み目的でマンション等の敷地や共有部分に忍び込む行為が許されないのはだれもが認めるでしょう。

　こうした通行の安全，私的生活の平穏は重要な利益です。しかしだからといって，駅前の広場でさまざまな情報を盛り込んだビラを配布する行為や，この種のビラ配布の目的でマンションや団地に立ち入る行為を管理者の承諾がないとの理由で規制するのは，あまりにも形式的にすぎるといえます。思いもよらなかった情報に偶然に接する機会は，たとえ不愉快（ゆかい）な情報であったとしても，長い目でみれば，通行人，住居者が新たな世界に出会えるという意味でも，さらには民主主義を生き生きとさせる意味でも価値のあることです。表現の自由の意義，表現にとってのビラ配布の重要性を考えれば，一定の場合にはビラ配布やそのための無断立ち入り行為，通行の安全，私的生活の平穏，それをまもるための管理者の管理権よりも優先されると考えるべきでしょう。

現実にある情報発信の場

　では，どのような場合であれば，ビラの配布は管理者の管理権に優先するのでしょうか。

　この問題を解くにあたり，現実に人々が自由に出入りしている場所は，表現の自由のためにも使用されてよいという考えが役に立ちます。それによれば，人々が自由に出入りしている場所は，本来の目的とは

ちがっていても，一般の人々の表現の自由のために貴重な機会を提供するため，表現活動を理由としてそこから勝手に排除することは許されないとされます。

　この考えからしますと，駅前の広場はまさしく以上のような公共の広場として，そこからビラ配布といった表現行為を勝手に排除してはなりません。他方で，マンション等の敷地や共有部分については，そのすべてを公共の広場として位置づけることは困難であるかもしれません。しかし，マンション等の郵便受けに広告チラシがなんら制約を受けることなく入れられている状況にあれば，外部の人間がマンション等の敷地や共有部分を自由に出入りしていることになります。現実に人々が自由に出入りしている場所である以上，郵便受けにビラを入れる目的でそこに立ち入る行為は，住居侵入罪として罰せられることはないと理解すべきでしょう。もちろん，この立ち入り行為は，居住者の日常生活にほとんど実害をもたらさないようなおだやかなものである必要があります。

もう一歩

　一般市民がマンション等の敷地や共有部分に立ち入ってビラを配る行為は，住居侵入罪として起訴されるおそれがある一方，国家公務員が政治ビラ配布を目的としてこのような行為をした場合には，さらに「国家公務員法」という別の法律にもとづいても処罰されます。なぜ公務員による政治的意見表明の自由は制約されうるのか（あるいは，制約されるべきではないのか），たとえこの制約自体は可能であるとしても，休日に職務に関係なく職場から離れた団地等の郵便受けに政治的ビラを配布することまで規制されるべきであるのか，考えてみる必要があります。

23 甲子園での応援も規制されるか？
──集会・結社の自由

　多くの人が共通の目的をもって一時的に一定の場所に集まることを，一般に「集会」といいます。また，多くの人が共通の目的をもって継続的に団体を結成することは，一般に「結社(けっしゃ)」とよばれています。これをわかりやすく説明すれば，甲子園球場での試合にファンが集まって虎（阪神タイガースのこと）を応援することは「集会」にあたり，甲子園球場で行われるすべてあるいは多くの試合で虎を応援するために応援団を結成することは「結社」になります。以上のような「集会」や「結社」は，憲法21条1項で表現の自由とともにそれぞれ自由として保障されています。

人の「集まり」はなぜ保障されるのか？

　人はさまざまな思いを抱いて生活しています。そのなかでとくに強い思いを心や頭のなかにしまい込んでおくのではなく，人はそれを実現しようとしばしば行動を起こします。そのような行動のなかで，その思いをほかの人と共有したい，あるいは，その共有のために集団を形成したいと考えることもときにはあるはずです。ということは，人の思いや感情を外部に表す方法として，自由にほかの人と同じ目的で一定の場所に集まり，自由に集団を形成できないというのは，その思いや感情を抑圧されていることになってしまいます。

　これを先にあげた例で考えてみましょう。熱狂的な虎ファンが，試合のあるときに甲子園球場に行ってほかの観客と一緒に応援してはならないと規制されたら，野球観戦という行動とともに応援したいとい

う思いや感情が抑圧されることになるはずです（そこでは試合を観たいという思いも同時に抑圧されています）。また，虎の応援という同じ思いをもつ人々が集まって，継続的に一緒に応援するための団体結成が禁止されれば，それも虎ファンの心理を抑圧する結果をもたらすことになるでしょう。このようなことになると虎ファンは不愉快きわまりない状況におかれることになります。そのために，憲法は，原則として，目的，方法などを問わず，「集会」や「結社」を自由なものとして保障しています（なお，「集会」の場合には場所や時間も問われません）。そして，それが自由であるというのは，国や地方公共団体によって法令で規制されないことを意味します。

危険あるいは迷惑な集まりは許されない？

しかし，「集会」や「結社」はさまざまな法令により規制されています。その規制は，単純に人々が集まることを禁止するだけでなく，事前に人々が集まることをチェックするという方法もあります。そこで，そのような規制がなぜ許されるのかを考えておかなければなりません。

1985年10月16日の夜半，大阪の御堂筋は梅田から難波にかけて騒然とした状態になりました。当初は大阪駅近くで集まって大きなテレビを観ていた人たちが，猛虎の21年ぶりの優勝決定を契機に，一瞬にして暴徒のように御堂筋を行進しはじめたのです。御堂筋という大阪でも道幅のある道路が多数の人々によって完全に占拠され，その人々は大きな声で「六甲おろし」（正式には「阪神タイガースの歌」の愛称です）を合唱し，まさに道路いっぱいの人々が集団行進を行いました。その際，警察による制止も役に立たず，また，近くの店舗の宣伝用の人形が胴上げされ，なんともいえないぐらいにごっている道頓堀川に飛び込む者まで出現したのです（この川への飛び込みは2002年のサ

ッカー・ワールドカップ日韓大会での日本代表の予選突破決定，2003年9月15日，2005年9月29日の猛虎優勝決定の際にもありました）。それは，人の集まりやその延長線にある集団行動（憲法ではどちらも「集会」とされています）が，人間の集合体として大きな物理的力を生み出した1つの例となっています。

本来ならば，このような一般の道路を使用する集団行進は，道路交通法や公安条例という法令によって事前に警察署長あるいは公安委員会の許可をもらわなければなりません。というのも，道路は本来車や人の通行のための施設であって，それを阻害するような行為については事前の調整が必要であるとともに，上記のような集団のもつ力によって公共の安全にたいする危険を防止するために必要な措置とされているからです。

「集会」が道路ではなく，公園や市民会館・公民館という公(おおやけ)の施設を利用する場合にも，やはり設置・管理している者（多くの場合，地方公共団体の長）の許可が必要になります。その場合も，それは，公園や施設の収容できる人数や利用競合の問題とともに，他者の生命や身体，財産が侵害され，公共の安全が損(そこ)なわれる危険を回避する措置（ここでは「危険回避措置」とよびます）と考えられています。そのために，なんの許可もえないで行われる「集会」は，法令上，迷惑行為だとされます。ただし，こうした規制が許されるとしても，「集会」は自由が原則であるから，規制自体が危険を回避することであり，他者との権利・利益調整のための範囲内にとどまる必要があります。「集会」の目的を否定する規制であってはならないのです。

| 犯罪を行うための集団形成は禁止される？ |

危険回避措置として「集会」が規制されるとすれば，同じく危険な集団を結成する「結社」も規制されることになります。一般に公共の

安全や秩序を損なう行為は犯罪とされます。そのために，犯罪を行う目的の「結社」は禁止されるといわれています。しかし，通常の場合，表立って犯罪行為を目的とする団体結成は考えられず，別の目的で団体が結成され，その団体の行う行為，つまり団体の設立目的を達成するための行為が犯罪になるというかたちをとります。この場合，たとえば，麻薬が含まれる商品の売買を目的とする会社の設立自体が禁止されるかどうかは，「結社」の自由（ないしは会社の場合，経済活動の自由ということも可能）との関係で微妙な問題を提起します。いいかえると，麻薬の売買はもちろん違法ですが，それをメインにするが，薬品の売買との名目で目的を設定する会社の設立（結社）そのものを禁止できるかという問題が生じます。

虎の応援団結成の場合も，1985年の出来事を念頭において規制すること自体が可能かどうかが微妙になるのでしょうか。試合の勝敗により一瞬にして暴徒と化し，他者を傷つけ，器物の破壊活動を行うおそれが予想されるために，その団体としての継続的結成を禁止しても問題がないのでしょうか。

たしかに犯罪行為は処罰されるし，処罰されなければなりません。しかし，だからといって団体の結成自体を禁止することができるかどうかは別問題です。「結社」の禁止は，その団体の設立そのものの否定を意味します。たとえば，ある宗教団体のように犯罪行為を行った，あるいは，その危険があるというだけで，団体結成そのものを否定する（ここでは解散させる）ことは，「結社」の自由にたいする重大な侵害であるといえるのではないでしょうか。

| 敵対する集団の存在から人の「集まり」を規制できるか？ |

現在，甲子園球場レフト側スタンドの一部にビジター用シートが準備されています（チケットを購入できず虎ファンもしばしば紛れ込んでいま

すが)。そのために，虎ファンだけでなく，相手方チームのファンも甲子園球場では一緒に試合を観戦します。かつては，過激な虎ファンが，試合結果によって相手方チームのファンと小競り合いを起こすことがありました。その小競り合いが発生する可能性から，甲子園球場では虎ファン以外の観客の入場や相手側チームの応援を認めない（いいかえれば，相手側チームのファンの「集会」を禁止する）ことは許されるでしょうか。おそらく甲子園球場はそう考えず，ビジター用シートを設けているのでしょう。

　公共の安全という観点からすれば，敵対する集団が存在し，その敵対者との衝突による危険発生の可能性がある場合には，「集会」や「結社」は規制される可能性があります。しかし，平穏に応援しようとする虎ファンが過激なYG（読売ジャイアンツ）ファンに攻撃されてけんかをはじめる可能性があることを理由に，虎ファンの「集会」を禁止する，あるいは，応援団どうしがぶつかり合う可能性があるためにその「結社」を禁止する，ということは許されるのでしょうか。もし許されるとすれば，虎ファンの「集会」や応援団の「結社」は，過激なYGファンが存在することによって，それができなくなることになります。しかしそれでは，「集会」や「結社」が自由として保障されていることと矛盾する可能性があります。ですから，「集会」や「結社」の目的やその主催者・設立者の思いに反対する者が，これを実力で阻止・妨害しようとして紛争を引き起こすおそれがあることを理由に，「集会」や「結社」を否定することは，やはり原則として許されません。

　感染症ウィルスという敵の拡大を防止するための公共の安全という観点から，密を回避するためにイベントなどの人々の集まりを自粛するよう求められています。強制的に禁止するのでなく，協力をお願いするというレベルでは問題ないという考え方もありますが，生活にう

るおいがなくなるという点で人々の精神的活動に制約を課すことになれば、やはり「集会」の自由との関係で問題となるのではないでしょうか。

もう一歩

　「集会」は場所を必要とします。そのために、自由が保障されているからといってどこでも「集会」をひらくことができるわけではありません。集会のために使える場所かどうかも規制を考える際には重要なポイントになります。また、「結社」は、特定の目的のために団体を結成する行為です。その目的のためにメンバーが同じ方向に向かって行動するとしても、はたしてメンバーにあらゆることを強制できるのか問題となります。たとえば、虎の応援団がそのメンバーにサッカーチームのガンバ大阪の応援を強制することは可能でしょうか？「結社」がメンバーに団体の意思としてどこまでのことを要請できるのかも考える必要があります。

24 学校の中心で、権利をさけぶ
―― 教育を受ける権利

　降ってわいたようなオンライン活用の波は、社会の中に変化をもたらしました。仕事の場面とことなり、教育においてオンライン化が求められる際に改めて問題となるのが、パソコンなどのIT機器と通信環境の確保です。インターネット環境のない家庭でもオンライン授業が受講できるよう、データ通信用のSIMカードの付いたタブレットを配布する自治体もあれば、まだまだ遅れているところも多く、教育現場は混乱しています。国はICT環境整備の方針を示しており、いずれはある程度整うと考えられています。ただ、子どもにとってみればその時点での自分の受ける教育がすべてであって、長期的な政策は今の環境を納得させる十分な理由にはなりません。

　憲法の保障する「教育を受ける権利」は、IT機器を要求する根拠となるでしょうか。それは教育の中身に関するものであって、IT機器など教育環境のことには及ばないと考えるべきなのでしょうか。学校で教育を受ける時間は人生の大部分とはいえませんが、その後の生き方に影響する重要なものです。その子どものよりよい環境・よりよい教育に関する権利を考えてみる価値はあるといえます。

教育を受けられない子ども

　「教育を受ける権利」は、生存権と同じような構造をもっていると考えられています。不運なトラブルや病気などの「つまづき」や、明確なきっかけはなくとも、人生において困窮する(貧乏で苦しむ)可能性はゼロではありません。そのような苦境のもとでは、あっという

間に「人たるに値しない」生活に陥（おちい）ってしまうかもしれません（そのための生存権☞**29**）。また，このような苦境は子どもの教育への支出に影響します。お金がかかるので子どもを学校に行かせない，場合によっては働かせる，こういったことは，経済的な苦境のなかではやむをえないのかもしれません。しかし，親や家の都合で教育が受けられないということは，子どもにとって，将来的に十分な収入をえる仕事につくことを困難にしてしまうだけでなく，学校での人間的な成長の機会も奪われることになります。これは親の貧困が子どもの将来の貧困をひきおこすという「貧困の再生産」という問題だけでなく，個人の人格発展にかんする権利を侵害することにつながります。この状況をなんとかし，子どもの教育を実現するためには国家による積極的な行動が不可欠といえるでしょう。

すべての子どものためのファーストステップとは？

こう考えれば，子どもの教育のために国家がやるべきことといえば，教育の中身よりも，まず第一に教育の環境整備です。すなわち，すべての子どもが授業を受けられる学校があること，そしてそこで実際に授業に参加できることがスタートラインになるといえます。まずは学校が整備され，すべての子どもが通えるだけの定員数が確保されるということが必要です。そして憲法は，保護者にたいし，その子どもに普通教育（現状では小学校および中学校での教育）を受けさせる義務を課し，大人の都合によって教育が左右されることのないようにしています。これは「義務教育」とよばれ，授業料にかんしては無償（むしょう）とされ，教科書にかかる費用も国がもつこととされました。

これらのさまざまな規定により，すべての子どもは，経済的な理由から学校教育を受けられないという状況からいちおうは解放されることになるでしょう。これは子どもの「教育を受ける権利」として，ま

たは「教育の機会均等」(だれもが等しく普通教育を受けられるということ) の要求として，国にたいし主張できるものなのです。

国家と教育の中身

　国による学校教育制度の整備は，教育を受ける権利の実現にとって不可欠です。しかし，学校で実際に教えられる中身についても国に委ねてもかまわないといえるでしょうか。教育について国が決めるということは，必ずしも内閣総理大臣が好き勝手にすることを意味しませんが，少なくとも，そのときの政治において多数を占める人たちによって決められてしまう可能性は否定できません。たとえば，個人より集団，個人より国家を優先させるような，そもそもが憲法の価値と相容れない方向性につながっていくような教育内容も，法律によってあるいは政治的決定によって導入されるおそれがあります。民主主義は多数決でモノを決めるシステムだから，多数者の意見が全体の意見となるのだ，という基本的な考え方をそのまま教育にあてはめることはできないと考えるべきなのです。

　教育は，自由に考え，批判し，多様な意見を作り出す個人の基礎を形成するプロセスといえます。偏った特定の意見が強く反映されることは，自由な意思をもつ個人の形成にたいし致命的な影響を与えてしまいます。このことは国民にとっても，国にとっても深刻に受け止められており，「教育基本法」という法律においても「教育は，不当な支配に服することなく……」と教育の中立性の維持が述べられています。それでも国は，科目の設定やそこで教えられるべき大枠などを制度として作っていかなければならず，そのことを否定することは困難です。ただその際には，中立性を維持するために，中身にかんすることについてはとくに慎重に，抑制的に行わなければならないといえます。

子どもにとってのよりよい教育

　教育を受ける子どもにとっては，学校で授業を受けられるだけでは，十分とはいえません。「もっと教え方のうまい先生に変えてほしい」，「学校をきれいに改装してほしい」，「給食費を負担したくない」など，日常の細かな要望から，「もっと難しい算数がわかるようになりたい」，「海外で働くための英会話力を身につけたい」，「お医者さんになりたい」といったより具体的な目標まで，子どもの求めるところが尊重され，日々の教育のなかに組み込まれていくことは，教育の実践において重要です。そこでは，子どもは，ただ国の用意する教育を「受ける」だけの者ではなく，1人の人間として成長，発達し人格を完成させていくために，自ら必要とする教育を主体的に要求できる存在なのです。

　あたり前のことですが，医者になる，英語が話せるといったような結果の保障はできません。たとえば，日本人はもっと日本のことを知るべきだから社会科の授業数を増やしてほしい，といったような個人の考え方に行き着いてしまうような要望も，すべての子どもに等しく提供される教育制度という観点からは実現が困難であるかもしれません。また，実現できそうな要望であっても，お金のかかることは予算がなければできませんし，教育制度全体のなかでさまざまな調整が必要になりそうです。ただ，教育を受ける子どもの権利にたいし，国は必要最低限の教育環境は必ず整えなければならず，さらにそれをよりよいものにしていく努力をしなければならないということです。そしてさらには，その教育が行われるにあたっては，子どもが，たんなる受け身ではなく，1人の人間として，自らの発展のための要望を主張することのできる主体的な存在であるという考え方が前提となっていなければならないということなのです。

| 残される問題——タブレットは要求できる？ |

　教育を受ける権利から具体的に何が要求できるのかということはなかなか明確になりません。義務教育が整備され、すべての子どもが学校に通える現状では、とくに要求できることはないように思えるかもしれません。しかし実際の現場に目を向けてみれば、学用品、学校給食などの費用にたいする公的な補助制度（就学援助制度）を利用する小中学生は15%程度、自治体によっては30%を超えるなど、授業料・教科書の無償だけでは十分ではないことも明らかになってきています。ひとり1台のICT端末を、というのは今では「よりよい」から「不可欠」の環境へと切りかわったといえるでしょうか。そうであればこれは、差異が生じてはならないスタートラインとなります。ツールとしての端末を整えた上で、国や担い手たる学校・教師は、「よりよい」教育を考え、実践しなければなりません。それによってひとりひとりの子どもの成長が促され権利が実現されていくということになるのです。

もう一歩

　卒業式などでの国旗の掲揚、国歌の斉唱や「道徳」の教科化などにたいし、これが国家を強調したり一定の価値感をおしつけるものだとして反対する教師と、学校・自治体とのトラブルは少なくありません。教師には思想・良心の自由（☞ *16*）、教育の自由（☞ *25*）などの権利が保障されており、これを根拠に主張がなされているわけですが、このことと、子どもの教育を受ける権利の関係はどう考えればよいでしょうか。子どもの権利の視点からのプラス面・マイナス面について整理してみてください。

25 勝手に大学の教室は使えない
―― 学問の自由

　今年度の憲法演習Ⅰハルナゼミは，環境権・環境問題への関心から原子力発電所の是非(ぜひ)をテーマに研究を進めています。ゼミ生は学内での勉強だけでなく，反原発デモやシンポジウムに参加するなどして理解を深め，年末にはそのまとめとして，大学の講義室を利用した大討論会を開催する予定にしていました。しかし，先生のハンコをもらい，大学に申請したところ，「教員の許可があっても政治色の強い集会は認めない」と却下されてしまいました。同じ時期，憲法演習Ⅱウキタゼミは，地方自治・地域研究の観点から，「街コン（大規模な街ぐるみのコンパイベント）の活性化」についての討論会を企画しており，こちらはすんなり許可が出たということです。

　ハルナゼミ生は，「原発と街コンなら絶対こっちが重要じゃないか。まじめに研究してきたのに，なんでふざけたテーマのウキタゼミだけ許可されるんだ！　授業料を払ってるんだから使わせろよ！」とやや乱暴な理屈で不満をぶちまけています。市の公民館なら内容に関係なく借りられるらしいのに，所属する学生が企画する研究の一環としてのイベントになぜそんなチェックを入れるのでしょうか。憲法23条にある学問の自由は，その本質が大学でこそ発揮されると教わったはずなのですが，とてもそうは思えません。自由なはずの大学がなんだか急に不自由な場に感じられてきました。

| 学問にとっての大学 |

　大学は，学生にとって，好きなことを学び，その他(た)さまざまな活動

に時間を注ぎ込める貴重な場所だといえますが,実はそのような位置づけは二次的です。大学の本質は,研究活動の自由を主な内容とする「学問の自由」を担う中心であることにあって,そうした意義は12世紀頃の中世ヨーロッパから続いてきたものなのです。

そもそも学問研究は,国や教会,社会的権力などからの圧力を受けやすいものでした。その時代の権力者や宗教の価値観に合わない研究は,その成果だけでなく研究者自身をも危険にさらしてきました。ガリレオ・ガリレイが,当時の宗教上重要とされた考え方に反する「地動説」を証明しようとしたところ宗教裁判にかけられ,有罪判決を受けたという歴史的事実はその一例です。

大学は,このような外部の権力または権威に対抗して,「自治」の保障を獲得していくことで,その内部での自由な研究・教育活動を実現し,真理の追究という学問の自由の本質を発展させてきました。この意味で,大学は学問の自由と不可分の関係にあります。

学問にとっての自由

学問研究は,その成果がそのときの政権の批判につながることがあり,権力側に好まれないことも少なくありません。しかしそれは,権力に批判的であることこそが研究の役割なのだ,ということではありません。学問の自由のもとにある研究活動は,権力に批判的なものやそうでないものも含めて多様になされることに本質があり,まさにそのことが学問の自由を支えているといえるのです。

学問研究とは,頭のなかの仮説を説得力のあるかたちにして外部に発表し,そしてときには批判を受け,さらに発展させていくプロセスですが,これは表現の自由などの人間の精神活動にかんする権利と同じです。ですから,権力による自由な学問研究への介入にたいしては,表現行為へのそれと同様に慎重な対応が不可欠です。ただ,クローン

人間の研究など、社会における一般的な倫理観からすると容易に受け入れがたい研究、または原子力技術などトラブルが生じた際に大規模な被害が生じてしまうような研究にたいするある程度の制限はやむをえないといえます。しかしこのような研究は、そこからえられる成果が広く人類の役に立つものとなることも考えられるため、その制限についても手段などを慎重に検討する必要があります。

またこの学問の自由は、具体的には、頭のなかの研究活動とその成果の発表だけでなく、大学での教育活動の自由（教授の自由）も含んでいます。大学では、その研究成果を学生に教え伝えることについての自由も保障されているのです。

| 大学にとっての自治 |

学問研究は、「自治」の保障された大学でなければ行えないというわけではありません。憲法における学問の自由は、すべての国民が、広く一般社会のなかで享受できるものです。しかし、だからといって大学が不要というわけではありません。学問研究の中心はいまだに大学にあり、大学にたいする国家権力の介入は、やはり学問の自由の保障を常に危険にさらします。ですから「大学の自治」は必要なのです。

この大学の自治は、具体的には、学長・教授そのほか研究者の人事の自治、施設および学生の管理の自治が主な内容とされています。大学は、とくにこの領域にたいする権力の介入を排除することで学問の自由をまもってきたし、今後もそうするということです。これまでにとくに問題になったのは施設管理の自治でした。大学構内への国家権力、とくに警察の立ち入りは、権力批判となる可能性のある研究への無言の圧力となり、その活動を萎縮させるおそれが強いのですが、犯罪捜査や構内の秩序回復の場面でたびたび行われ、問題になってきました。大学も国家権力の一切及ばない治外法権ではなく、警察の立ち

入りを完全に拒否することはできません。しかし，立ち入りが日常的な情報収集活動としてなされることも考えられますので，学問の自由のためには，大学の担当者の立ち会いのもとで行うなどの対策は必要だといえます。

いずれにしても大学には，学問の自由との結びつきでその自治が認められており，そのかぎりにおいて場合によっては一般社会とやや異なる施設使用の許可基準を設けることなども可能といえるでしょう。

大学にとっての学生

大学の自治の内容にある「学生の管理」ですが，こう書かれると非常に権力的なニオイがしてきます。18～20世紀頃ドイツのハイデルベルク大学にあった「学生牢(ろう)」のように，警察権力の入れない大学構内においてなにか「やらかした」学生を一般社会のルールとちがうところで閉じ込めておく，というようなイメージも思い浮かびます（実際はかなり自由な拘束だったようです）。しかし，要するにこれは，大学が保持する自治の担い手が教授やその他研究者であるということ，すなわち大学における学問の自由の担い手は彼らであり，学生はたんに施設を利用する者でしかないという位置づけを意味します。ただ学生は，入学によって大学にすべてを支配されるわけではありません。表現の自由など一般人と同様に保障される権利が，学生管理の名のもとに奪われることはありえないのです。

最近では，学生も自治の担い手とすべきであるという議論があり，それを一定程度認めている大学もあります。ただそれは，憲法から導かれたというよりも，大学が独自に認めているものだと考えられます。いずれにしても，学生はさまざまな自治の場面において要望を出したり批判や反対をすることはできても，決定プロセスに参加することはできず，大学の決定にはしたがわざるをえないことになります。

| 学生にとっての学問 |

　学生にとっての大学は，その後の人生に大きく影響するはずの時間を過ごす場所ですが，うえのように考えると本当の意味での自由を行使できないたんなる部屋の間借り人のような微妙な立場におかれる場所ということになり，少し残念に感じられるかもしれません。しかし学生は，教員とかかわる講義・演習などではその学問の自由の行使の一端に位置しますし，それ以外の場面でも一般的な自由は保障されているのです。

　最初にあげた事例に戻りますが，そもそも，法学部など社会科学系学部のゼミの研究は，ある程度政治的な内容をともないます。地域振興でも原発のあり方でも，それが学問的な観点から行われているかぎりは学問研究の一環であると考えるべきでしょう。施設の利用を大学が拒絶するためには，思想による差別にならないかなど，一般社会でもあてはまるルールにしたがい慎重にチェックするべきです。もし，「反原発は過激だからダメ」，「地域研究ははやりだからオッケー」というような感覚で決められていたとすれば，この大学の決定は，少々乱暴だったと判断するべきでしょう。

もう一歩

　内閣総理大臣が「組織の推薦に基づいて任命する」と法律に規定のある研究者組織の人事につき，その推薦を受入れず任命しなかった場合，それは学問の自由との関係でどう評価できるでしょうか。学問の自由にとっての大学の意味は本文の通りですが，研究者組織がこれと異なるものだといえるかどうか，そして政府の意図が反映された研究者組織というものが学問の自由の本来の説明に沿うものであるかどうか，考える必要はあります。

Ⅲ　経済生活と財産

26　お金儲けをはじめるということ
―― 職業選択の自由

　職について働くといっても，たとえばプロ野球選手になってお金を稼ぎたい，あるいはサッカー選手になってヨーロッパで活躍したいと願う人もいるでしょう。そのような特殊な職業ではなく，ふつうのサラリーマンになりたいという人がほとんどかもしれません。しかし，だれもが本当に自分の希望する職につけるわけではありません。では，基本的人権（☞ *1*）の１つである職業選択の自由とは，いったい何を保障してくれているのでしょうか。

| 仕事・職業とは？ |

　あなたは，「今日はいい仕事をした」という言葉でどのようなことを思い描きますか？　多くの人は，職業として行った活動でよい結果をえられた（たとえばいい契約を結ぶことができた，あるいは非常に多くの利益を上げることができた，お金が儲かった，また逆に，損失を最小限におさえることができた）という場面を想像するかもしれません。しかし，それだけではなく，野球中継ではファインプレーをした，または得点に結びつくバントを決めた場合にも「いい仕事」という言葉が使われることがあります。これらの場合，「仕事」という言葉は，グッドな「働き」を意味するものとして使われます。

　しかし，「仕事」という場合，それは通常，各個人の職業を意味す

るものとなります。そうだとすれば，そもそも仕事とか職業とはなんでしょうか。最高裁判所は，職業を，個々人が自己の生計を維持するため継続的にする活動であるとともに，仕事の分業化が進んでいる社会においては，これを通じて社会の存続と発展に寄与する社会的機能分担の活動としての性質を有し，各人が自己のもつ個性を全(まっと)うすべき場として，個人の人格的価値とも不可分の関連を有するものだとしています。そこから，職業は「本質的に社会的な，しかも主として経済的な活動であつて，その性質上，社会的相互関連性が大きい」としています。要するに，職業とは，人間1人ひとりが生活する社会のなかで利益を追求するお金儲けのための活動であると同時に，個人の生存や生き方に直接結びついた，すなわち個人の人生を全うするために必要不可欠なものだということです。

生き方の選択をも意味する職業

趣味が高(こう)じて職業になった，ということはしばしばみられるところです。プロスポーツ選手や音楽家，芸術家，作家や芸能人，最近人気のユーチューバーあるいは研究者もそのような例になるかもしれません。しかし，通常の企業に就職した人の場合でも，自分の趣味や興味・関心に沿った仕事に従事することがしばしばあります。たしかに，仕事・職業は，お金儲けをする活動ではあるのですが，お金儲けをするためには個人の能力をいちばんよく発揮できる場であることがもっとも重要なことになるのです。そのために，職業は，たんなる経済的な利益を追求する場であるだけではなく，個人の個性や人格的価値と結びつく活動にもなるわけです。「楽しくなければ仕事でない」といわれるのも，その意味を含んでいるはずです。

もちろん趣味の場合でも，各人の個性や人格的価値と無縁ではありません。むしろ，自分の仕事とは別に余暇を楽しむという点で，そこ

に独自の価値をみいだすことができます。しかし、それが職業の場合、まさに個人の生計を維持する継続的活動でもあることから、より一層、それは個々人の人生設計や計画と密接な結びつきをもつことになります。その意味で、趣味が高じた場合であっても、そうではなく自己の能力をいかんなく発揮できると考える場としての活動であっても、職業としてそれを選ぶということは、まさに各人の生き方、人生そのものを選択するという意味をもつことになります。

職業活動に従事する

　職業の選択が個人の生き方の選択にもなるとの意味をもつことからも、それを国家が妨害することは許されないのはいうまでもありません。そのために、個人の選択にたいする国家による干渉（かんしょう）は、自由の侵害になります。さらに、選択そのものに干渉されなくても、選択した職業の遂行（すいこう）が妨（さまた）げられれば、選択そのものの意味がなくなってしまいます。そこから一般には、職業選択の自由は、自己がつきたいと思う職業を国家の干渉なしに選択できることと同時に、個人が選択した職業活動に従事して、その活動を妨害されずに継続的に行えるようにしておくことの保障も含まれると考えられています。

　しかし、職業としてあらゆる活動が行えるのかというと、そういうわけでもありません。たとえば、ゴルゴ13のようなスナイパーやルパン3世のような泥棒を職業にすることは、そのような活動それ自体が違法行為として規制されているために一見すれば不可能です。すなわち、職業として従事する活動（うえの例では、人の殺傷行為や窃盗行為）自体が犯罪として規制されているために、それを職業として選択しても、その活動を行えば逮捕されてしまうということです。ただ、それは、職業としてであろうとなかろうと、その活動を行うことに重大な問題があるというだけで、スナイパーや泥棒を職業として選択す

ること自体が禁止されているわけではありません。逮捕されることを覚悟しているのであれば，スナイパーにも泥棒にでもなろうと思えばなれるのが職業選択の自由の保障の意味です。ここでは，お金儲けとしてその行為を行うこと自体が禁止されている売春(つまり売春という職業を選択すること自体が禁止されています)とは異なり，職業としての選択の可能性と，活動が禁止されていることとの区別が必要ということになるわけです。

　この点は，いわゆる資格制(あるいは免許制)といわれている職業の場合とは少し事情が異なります。たとえば，医師になりたいと思っても，入学するのが非常に困難な医学部に入学し，卒業後に国家試験に合格しないとなれません。法律家の場合も，原則として最近人気がおちている法科大学院を修了して司法試験に合格し，司法修習を終えてはじめてその職業につくことができるのです。この場合は，職業としての活動自体が規制されているわけではなく，その活動が専門的知識や技能を必要とするために，それを有している者にだけその活動を認めるという制度になっているのです。ただ，資格をとりさえすればだれでもその職業につくことができるという点において，やはり職業選択の自由は保障されているといえることになります。

個人事業とは異なる就職

　個人がケーキ屋やラーメン屋をはじめ，それを商売としてお金儲けをするというのは，まさに職業選択の自由の典型的な場面になるでしょう。そのために，個人が自分の望む商売を選び，それを実際に行えるようにする自由な経済秩序を国家は作り出し，それを維持しておかなければなりません。たとえば江戸時代の身分制のように，身分とともに自分の職業が自動的に決められていたような社会では，国家によって職業の選択が妨害されているわけではないけれども，そもそも職

業選択の自由は存在しません。そこで，そのような社会秩序を解体し，自由な秩序が創出・維持されていなければならないのです。

しかし，多くの人は，だれかに雇（やと）われて働くことになります。通常の場合，商売を行っているのは個人ではなく企業であって，企業の従業員として働くことで個人は給料をもらい，職業活動に従事するのです。しかし，個人が希望する企業に必ず就職できないと職業選択の自由の侵害になるのかというと，必ずしもそういうわけではありません。個人事業の場合と就職の場合は区別して考えた方がよさそうです。

就職と職業選択の自由

国家によって創出・維持される自由な経済秩序のもとでの恩恵は，個人だけでなく，むしろ企業の方に大きくなります。企業も，個人と同様に自由な経済活動を行うことができ，その一環として自己の営業活動のためにだれを雇うのかの自由な決定をすることができるのです（企業側の契約締結の自由）。もちろん，個人の希望する特定の企業への就職活動は自由にできますから，本人の望む会社で働くことは可能です。ただ，就職しても本人の望む仕事ができるかどうかは，その人の能力とともに企業の側の決定に委（ゆだ）ねられています。

さらに，個人は自分の希望する企業に必ずしも就職できるとはかぎらず，第二志望，第三志望あるいは必ずしも志望していない業種の会社に就職せざるをえない場合も想定しなければなりません。この場合の職業選択は，第一志望の会社に就職しても希望する仕事以外のことに従事しなければならない場合とは少し意味が異なりますが，働かなければ生活していけないことからくる，苦渋（くじゅう）の選択になるわけです。結局，ここでは，厳しい世の中の荒波のなかで，個人の職業選択の自由は，働く権利，つまり勤労の権利（27条）の内容（☞ *30*）と重なることになります。

もう一歩

個人事業を営む場合でも，一定の業種には国家の許可が必要な場合があります。その場合は資格制と同じになりますが，そのような規制の可否については **27** を参照してください。

なお，個人の能力を発揮する典型的場面としてのプロスポーツ選手になる場合も，就職の場合と同じような問題がありますが，それだけではなくさまざまな制約が存在します。職業選択の自由も，職種に応じてどのような制限があるかを検討しなければなりません。

Coffee Break ⑦

居住・移転の自由

居住・移転の自由，つまり自分の住みたい所を決定し，自分の行きたい所に移動する自由は，憲法22条1項により保障されています。「自分が行きたい所に行くなんて，あたり前だ」と思うかもしれませんが，封建時代には，農民など多くの人々は土地にしばられ，自由に移動することはできませんでした。人々が自由に移動することができるようになってはじめて，労働力の自由な売買が可能になり，資本主義が成立・発展することが可能になったのです。そういう意味では，居住・移転の自由は，自由な経済体制の前提となるものですが，同時にこの自由は，人々が不当な身体拘束から解放され，知的な交流の機会を求めて移動し，自らの見聞を広めることを可能にするものでもあります。

もっとも，いかなる場合も居住・移転が自由というわけではありません。破産した人は，勝手に居住地を離れることはできませんし，自衛官は指定された場所に居住することとされていますが，こうした居住制限を憲法違反ということはできないでしょう。なお，移転の自由は，コロナ禍の下で事実上大きな制限を受けることになりました。

（門田　孝）

27 営業活動には規制がいっぱい
——営業の自由・経済活動の自由

　お店の入り口で「営業中」という札をご覧になったことがあると思います。それは，お店が開店中であるということ，つまり実際にお客さんを受け入れて商売している（たとえばラーメンを販売しているなど）という意味をもっています。そして，「営業」というのは，利益を追求する事業の展開（要するに商売をする）という意味で，個人だけではなく，資本を集めた企業によって大々的に展開されます。ただ，企業を設立するには「会社法」という法律による規律が存在していますが，それだけではなく，企業の活動，とくに営業の開始，営業活動そのものにたいする規制が多く存在しています。それは，憲法が保障する自由な経済活動にたいする障害にならないのでしょうか？

企業による営業は財産権の行使？

　利益を追求するという意味での「営業」にかんして，憲法は何も規定していません。そのために，経済活動としての「営業」は，本当に憲法上自由なものとして保障されているのかが問題になります。この点は，次のように考えます。ある一定の活動を職業として選択する自由の保障にはその活動を遂行する自由も含まれます（☞ *26*）。一定の活動を遂行する権利をともなわない選択の自由はほとんど無意味になってしまうからです。そこで，「営業」にかんしても，憲法は，職業選択の自由に関連づけて保障しているのではないかと一般に考えられるようになります。

　現在の社会情勢を背景にすれば，そのような利益をえるという事業，

すなわち営業は、もっぱら1人の人間による個人事業として行われる場面を想定するのが非常に困難な状況にあります。一般に、利益の追求は、多くの資金を集めた企業の活動として展開する方が、個人で細々行うよりもより大きな利益をえることができるからです。そこで、企業を設立し、それを通じて事業を展開するという方法でより大きな利益を追求するというのも、個人の生き方として当然に考えられる1つの方法になります。

その方法が選択された場合、企業による営業は、個人の私有財産（要するにお金）が投資というかたちで集められ、それが運用されることで利益をえる活動としての側面をもちます。ということは、企業による営業は、個人の職業選択というよりも、むしろ財産権（☞ *28*）の行使として行われるということができるのです。このようなことから、企業による営業の自由、つまり広く一般的な経済活動の自由は、憲法上、職業選択の自由だけでなく、財産権の保障のもとにもあるといわれています。

| 開業規制は職業選択の自由の規制 |

最近、いろいろな技術が進歩して、ベンチャーとよばれる事業がはやりのようになっています。その場合でも、資金を集めて企業を立ち上げ、ベンチャー・ビジネス（たとえばIT技術を使った新しい事業によってお金儲けをすることなど）をはじめようとしても、さまざまなかたちでその開業は規制されています。たとえば、IT技術を使って古着などの通信販売をしようとすれば、個人であっても大手のIT企業であっても、申請をして許可をえなければなりません。そのような開業にたいする規制に関しては、個々人の生活する社会が将来にわたって持続的に発展していくための重要な機能を果たすべき活動として、はたしてそれを経済的な利益追求のための活動と認めることができるの

か，いかなる場合に許すのかについて，経済秩序を維持するための権限を有する国家，より具体的には立法者の判断にもとづく法律が決めるとされているのです。

このような状況のもとで，開業にたいする非常に厳しい規制がある場合，企業を設立することに意味がなくなる，あるいは企業の活動としてそれができないということになり，個人の私有財産の投資・運用（これは個人の財産権の行使になります☞ *28*）に制約があると考えることも可能です。しかし，企業の活動としてそれができないということは，個人も企業に就職してそのような仕事ができないという点で，あるいは職業として一定の利益追求のための事業をする企業の設立という方法がとれないという点で，やはり職業選択の自由の制約になります。したがって，開業規制はやはり職業選択の自由にたいする制約にほかならないともいえるのです。

営業活動の規制はなんの規制？

営業活動には，開業後の活動そのものに規制が課せられる場合も多くあります。たとえば，商品を生産する方法や販売方法（食品は販売できても酒の販売は禁止など），活動の時間帯（開店・閉店時間）に規制がかけられる場合，これらは，企業の活動内容そのものの規制となります。つまり，「営業」にはさまざまな場面で規制がかけられているのです。もちろん規制に違反しない方法での商品生産や販売は許されているわけですから，ある一定の活動自体を「営業」として行うことは可能です。その意味で，それは開業にたいする規制ではないということになります。

しかし，営業活動，つまり企業の活動内容そのものにたいする規制は，本当に開業規制とは無関係なのでしょうか。たとえば，賞味期限切れや産地を偽装した食品を販売してはならず，それに違反した企業

の営業活動を停止するとの規制を考えてみましょう。その食品販売の開業そのものに規制がないとすれば、これは明らかに販売方法の規制です。しかし、違反した企業には営業停止が課せられることで、場合によってはその企業の倒産にいたる可能性もあります。なぜなら、営業停止（あるいは営業時間の規制）によって利益をえることができずに大損してしまう可能性があるからです。そうだとすれば、営業活動そのものにたいする規制は、ある商売をはじめるという意味での開業とは無関係で、それとは場面の異なる規制といい切ってしまってよいのかどうかについては、もう少し考えてみる余地がありそうです。

個別的な規制の合理性・必要性の判断

ところで、営業活動、ひいては経済活動にたいするさまざまな規制は、憲法上、はたして本当に許されるのでしょうか。自由な経済活動が個人の人生の選択や、人々の暮らす社会全体の利益のために必要であるとするならば、規制が正当かどうかをどのように考えるべきなのかは1つの大きな問題です。この点につき、最高裁判所は、社会全体の利益（公共の福祉☞ 3）を根拠にして、個別的に規制が許されるかどうかを判定するという方法を用いています。

たとえば、開業にたいする規制は、職業の選択だけではなく、自由な競争が前提の社会で企業の新たな参入にたいする規制としての性格も強くもちます。憲法は、社会経済がうまく調和して発展していくことや経済的に弱い立場にある者（たとえば大企業にたいしての中小企業）や消費者を適切に保護するために、国による一定の政策の実施を予定しています。そのような政策実施のための規制の正当性は、一定の経済に関する専門的知識・情報を必要としますので、国会の比較的自由な判断に委ねるしかありません。したがって、中小企業が行きすぎた競争によって共倒れになることを防ぐために、新たな同業者になる企

業の設立を規制したり，すでに存在する企業の活動を優遇する措置をとるなどの方法が，必要で合理的なもの（☞ *Coffee Break* ⑧）と考えることも十分可能になります。

　しかし，政策の実施とは別に，先ほどの賞味期限切れの食品の販売禁止，感染症拡大防止のための飲食店での酒の販売禁止や営業時間の規制のように，個人の生命や健康をまもるという観点からの営業規制もあります。開業そのものではなくても，一定の「営業」活動にたいする規制が合理的で必要だと考えることができる場合も当然にあるでしょう。ただ，このための規制の場合，場合によっては開業の規制になってしまうような方法が本当に合理的で必要な措置といえるのでしょうか。ここに，「営業」活動の規制については個別的に，なんのためにどのような方法での規制措置になっているのかを，そこでの規制に関するさまざまな事情や要素を総合的に検討して，国会での判断の合理性・必要性を考えていかなければならないのです。

さまざまな理由での活動にたいする規制

　開業にたいする場合も含めて，「営業」についての規制が許されるかどうかをそれぞれの事例で検討していくという場合，規制がなされる理由も，政策の実施や生命・健康の保護という2つの場合にのみ区別されるわけではありません。また，開業規制か活動規制かも単純に2つに分けられるわけではありません。たとえば，賭博や富くじの販売を禁止しながら，財源を確保するために「toto」のようにサッカーくじを国の機関が独占で販売し，民間企業の参入ができないように規制する場合もあります。最近では，持続的発展が可能な社会の構築を目標にして，「営業」活動にたいするさまざまな規制が行われるようになっています。これらの場合も，簡単にすべて許されると考えてしまうことは，やはり問題があるといえそうです。

たしかにスポーツや文化を振興するために公的財源を確保することや，社会の持続的発展可能性を確保することは重要です。また，利益追求のためならばいかなる「営業」活動も許されると考えることは適切ではないでしょう。しかし他方で，自由で活発な経済活動が維持されていることも，個々人の生活や生き方にとって非常に重要なことです。問題は，社会全体の利益と個人や財産の集合体である企業の「営業の自由」の保障をどのように調和させるかです。結局，経済活動の自由としての「営業の自由」の内容については，わたしたちの生活がより豊かになるというのはどういうことか，お金があればそれで幸せなのかという視点のもとで，憲法上考えていくことが重要であるといえるのです。

もう一歩

　最近の企業活動の規制としては環境保護を目的にするものが多くあります。環境保護の規制といっても，「環境権」（☞ *Coffee Break* ②）は権利といえるのかを含め，そもそも環境保護とはいかなる意味をもつものかを検討する必要があります。

　たしかに環境保護は重要です。しかしなぜ環境保護が重要なのかを考えれば，自由な経済秩序のもとで，国によって直接に公的規制をかけるよりも，法令順守（これを「コンプライアンス」といいます）とともに企業の社会的責任として問題をとらえることもできるのではないでしょうか。

28 土地やお金は大切です！
―― 財産権の保障と損失補償

　ライン川の底にだれのものでもない黄金がありました。その黄金は愛をもたない者だけが手にすることができ，それによって無限の権力をえて世界を支配する金の指輪を作ることができるとされていました。それを聞きつけた小人族の1人が黄金を手に入れ，指輪を作りました。その結果，その指輪をめぐり神々や人間たちが奪い合いの争いをはじめ，陰謀と殺戮の世の中になってしまいました……。

　これは有名なオペラ「ラインの黄金」のお話ですが，このような黄金は，だれかの所有物にならずに，ライン川の底に眠り，だれのものでもない状態にしておく方がよいのでしょうか。

権利の束としての「財産権」

　人権の1つとして「財産権」があります。憲法でも29条1項でそれを不可侵の権利として保障しています。しかし，「財産権」という言葉の意味について，憲法は何も説明していません。むしろ29条2項で，その内容は「法律でこれを定める」としています。それでは，いったい「財産権」とはどのような人権なのでしょうか。

　だれのものでもない黄金を手に入れた小人族の1人は，まさにその黄金を所有することになります。その黄金を使って指輪を作り，その指輪で世界を支配するということは，自分がもっているモノを利用することです。そしてたとえば，世界の支配を諦めてかわいらしい女神を助けるためにその金の指輪を巨人族の兄弟に渡す（本当のストーリーは小人族の者ではなく，彼から力ずくで指輪を奪った神々の長が女神を助け

るために巨人族の兄弟にやむなく渡すのですが）というのは，自分のもっているモノを処分するといえます。このように，黄金をもち，利用し，それを処分するという行為の保障が「財産権」といわれるものです。「財産権」は，その意味でモノにたいする一定の行為を保障する権利の束ということができます。

なぜ「財産権」が保障されるのか？

それではなぜ「財産権」が人権として保障されているのでしょうか。なぜ，モノにたいする一定の行為が個々人に保障されるのでしょうか。現代社会に生きるわたしたちは，それが当然だと思っているのですが，さらには，なぜ個人はモノをもつことができるのでしょうか。

単純に考えれば，小人族の1人が黄金を手に入れることができたのは，自らの判断で愛をもつことを断念して川の底にもぐってそれを取ってきた，つまり，自らの判断で体を動かし，労働によって手に入れたからだということです。そして，自分の労働により手に入れたモノだからこそ，ほかのだれでもない，それを手に入れた本人が，それを自由に使い，処分することができ，他人によって侵されない権利（これを「排他的な権利」といいます）を手にすることができるのです。

しかし，このような権利を個人がもてるのは，そこに私有財産を認める制度（私有財産制）があるからです。もともとがだれのものでもないならば，たとえ個人の労働によって黄金を手に入れたとしても，それは小人族の1人のモノになるわけではなく，やはりみんなのモノだとしておくことも可能なはずです。たしかに「ラインの黄金」の例では，その方が金の指輪をめぐる争いは起きず，世の中が平和であり続けると考えられます。しかし，それでは「財産権」という権利それ自体が成立せず，また，だれも働こうとはしなくなる可能性が高くなります。そう考えれば，自分が働いて手に入れたモノはやはり自分の

モノになり，自由にそれを利用・処分できるようにしておく制度の方が，社会全体として人々の活動が活性化し，結果的にはみんなが幸せに暮らしていけるようになるのではないでしょうか。人権としての「財産権」の保障には，個人の財産についての権利の保障とともに私有財産制の保障も含まれているといわれるのはそのためです。

何を法律で定めるのか？

モノにたいするさまざまな行為を権利として保障するのが財産権だとすれば，何が行為の対象物となるモノになるのでしょうか。ライン川の底に眠る黄金はモノでしょうか。財産権の保障の前に，「財産となるモノとは何か」が法律で定められていなければなりません。

この点について，民法では，「物」とは有体物(ゆうたいぶつ)だ（85条）とし，「土地及(およ)びその定着物」を不動産とした（86条1項）うえで，「不動産以外の物」は動産だ（86条2項）としています。これによると，黄金は動産という財産になることになります。もちろん，このような有体物だけでなく，小説や音楽，映画やロゴマークなども，「知的財産」として法律でそれが財産になることが定められています。

しかし，憲法は「財産」それ自体ではなく，「財産権」を保障しているのです。したがって，法律で財産とされたモノをどういう場合にだれがもっているといえるのか，それを使うというのはどのような行為をいうのか，どのような場合にそれを処分したと考えるのかといった具体的な内容が明確にされていないと，財産権の内容は決まらないことになります。そのために，民法をはじめとするさまざまな法律が，財産権の内容を決めることになります。たとえば，黄金を手に入れた小人族の1人は，それを所持することで黄金の占有権という権利を認められ，その権利を根拠にだれにもじゃまされずにそれを指輪にして利用することができるようになるのです。

ところが，世の中が乱れるのを防止するため，世界を支配するような権力行使に黄金の指輪を使うことは許さないと法律で規定すれば，それは，財産を利用する権利の内容の具体化であると同時に，その財産権にたいする制限にもなります。すなわち，財産権の内容の規定は，場合によると財産権の制限・規制にもなるのです。そのために，財産権の内容は「法律でこれを定める」一方で，その法律の規定は「公共の福祉に適合する」ものでなければならない（29条2項）との，立法者への制約が財産権の保障では重要な意味をもちます。

モノにたいする行為の規制

　財産権の内容は法律で定められますが，それは「公共の福祉」に適合するものでなければならないというのは，財産権規制にたいする立法者の権限の限界を定めたものといえます。そして，どのような場合に「公共の福祉」に適合しないといえるのかについては，財産となるモノの種類や性質，そのモノにたいする行為の種類や態様に応じてそれぞれ検討するしかありません。

　一般には，それは，法律による規制の目的・必要性・内容，その規制によって制限される財産権の種類・性質，および制限の程度等を比較検討して決定されます。法律が社会経済的な弱者の保護や経済政策を実施するなどの目的のための規制とはいえないような場合や，他人の生命や身体を傷つけないようにするための規制でないような場合，あるいはそれらの目的を達成しないような方法で財産についての所持・利用・処分を制約する場合など，法律が「なるほど」と思えないほどの規制を課していることが憲法上許されないものになると判断されることになります。結局，財産権の内容についてや規制が正当なものかどうかは，さまざまな事情を考慮して判断するしかないのです。

| 適法な規制でも正当な補償が必要！ |

　個人に財産をもつこと，使うこと，処分することを権利として保障するということは，個人がもつ財産を国家が勝手に奪い，あるいは，その利用を勝手に禁止してはならないということです。しかし，道路を作るとかダムを建設するなどの公共事業のために，あるいは，国民にとって絶対に必要な政策を実施するために，個人の財産を公(おおやけ)のために使うことは，許された財産権にたいする規制と考えられています。ただ，みんなのために自分の財産権が侵害されるのを，黙って指をくわえてガマンしなければならないというのであれば，やはり個人の財産権の保障は意味をもたない結果になってしまいかねません。

　そこで，憲法は「私有財産は，正当な補償のもとに，これを公共のために用ひることができる」（29条3項）として，特定の人の財産を公共のために用いることができるとしても，その場合には「正当な補償」が必要であることを規定しています。黄金から作られた指輪が世界を支配する権力をもつものであるとすれば，それをもつのは世界政府機関であるべきだとして小人族の1人から指輪を取り上げ，世界政府が所持するようにする場合，指輪がモノとしての財産と認められているかぎり，やはり小人族の1人にたいしては，世界政府から「正当な補償」が支払われなければならないということです。この補償は，みんなのために特定個人に犠牲(ぎせい)を課すのだから，みんなのお金（要するに税金）でその補償を行うのが公平であるとの考えにもとづくものになります。

　営業活動が経済活動として財産権の保障とも関連する（☞*27*）ということになれば，営業自粛によって発生する経済的損失もこの29条3項との関係で補償を要する私有財産に対する侵害となるのでしょうか。営業をしていても利益がえられるかどうかは必ずしも定かではな

く，仮定の損失を私有財産の補償として国や地方公共団体が支払わなければならないのでしょうか。営業自粛によって事業者の生活が維持できなくなるという見方からの社会保障を必要とする場面（☞ **29**）と考えることはできないのでしょうか。はたして営業をしていた場合の見込みの利益は事業者の財産権として保障されるものかどうかを含めて考える必要があります。感染症対策はさまざまな問題を投げかけています。

もう一歩

　所持することが禁止されている薬物や許可がなければ所持できない拳銃（けんじゅう）や刀などは財産となるモノといえるでしょうか。外国では所持が許されていても日本への輸入が禁止されているモノが税関で没収されると，それは財産権の侵害となるのでしょうか。このような例で財産とは何かを考えることも，財産権の保障との関係では重要になります。

　なお，財産秩序の基本を定める民法は，「個人の尊厳と両性の本質的平等」にもとづいて解釈しなければならない（2条）とされています。この文言は，家族制度の基本を定めた憲法24条2項と同じ原理を用いたものです（☞ **12**）。ということは，家族制度と私有財産制度の根底にある憲法上の基本原理は同じだと考えることも可能になるのではないでしょうか。

29 あたり前の生活がしたい
——生存権

　75歳になったタカアキさんは，若いころは働き者でしたが，いろいろな事情のため貯金も年金もなく，身体の具合が悪くなって仕事を辞めてからは生活保護を受けて暮らしています。今のタカアキさんにとっては入院している弟に会いに行くことが唯一の楽しみですが，何しろ電車もバスもない不便な場所に入院しているため月1回だけタクシーを使って訪問するのが精一杯でした。

　そんなある日，タカアキさんは預金通帳を見て愕然としました。毎月振り込まれる生活保護のお金が減らされていたのです。

　「弟に会いに行けない！」

人生には「つまづき」がつきもの

　今の世の中では，会社に就職して（あるいは会社を経営して），お金を稼ぎ，退職した後は貯金や年金で生活するのがふつうの人生であると思われています。しかし，失業したり，病気になったりして，そのような人生を歩めなくなる場合もあります（突然，新しい感染症が流行して人生の計画が狂うことだってありえます）。

　そのようなだれにでも起こりうる「つまづき」によって生活に困った場合に，国による生活の保障がなければ，どうなってしまうでしょうか？　たとえば，失業した人が，携帯電話を解約され，きちんとした服装をすることもできなくなれば，再び就職することも難しくなるでしょう。また，年をとったり，病気になったり，1人で子どもを育てることになったりして，働くことが難しくなることも，だれにでも

起こりうることです。その意味で，国が生活を保障することはすべての人が安心して生活するための必要条件といえます。だからこそ，憲法 25 条は「健康で文化的な最低限度の生活」(生存権) を保障しているのです。

また，このように，国にたいして，生活保障を求める権利のことを，広く「社会権」とよんでいます (☞ *1*)。

| 憲法は何を保障していますか？ |

以前は，憲法 25 条は「国の道義的責務」(努力目標) を定めたものであって，「国民の権利」を保障したものではないという考え方がありました。その根拠として，「自分に必要なものは自分で努力して調達しなさい」と考えられてきたことがあります。しかし，憲法 25 条は「健康で文化的な最低限度の生活を営む権利を有する」と規定しているので，そこで「国民の権利」が保障されているのは当然です。

ただし，憲法 25 条が「権利」を保障しているとしても，「健康で文化的な最低限度の生活」という言葉はあいまいであるため，生活に困った人が裁判所に「月額○○円ください！」と訴えても，裁判所としては判断に悩むことになります。そのため，国民は憲法 25 条だけを根拠にして裁判所に何かを請求できるわけではなく，国会に生存権を保障するための法律を作らせたうえで，具体的な法律ができた場合には，憲法 25 条と法律が一体となって，国民の権利が保障されることになります。

実際に，憲法制定後の早い時期に，国会は「生活保護法」という法律を制定して，生活に困っている人にたいして生活保護を受ける権利を保障しました。また，生活保護以外でも国民の生活を保障するためのしくみが作られています。たとえば，国民年金は，若くて働けるあいだに保険料を納めれば，高齢になったときに年金を受け取れるとい

うものです。また、健康保険は、保険料を払っていれば、病気になったときに医療費を援助してもらえるというものです。これらは、今は生活に困っていない人が将来的に困らないようにするためのものです。それでも、国民年金や健康保険の保険料を払えずに保障を受けられない場合もあるので、すべての人の生活を支える最後の手段として生活保護が重要であるのは間違いありません。

どんな場合に生活保護を受けられますか？

従来、生活に困っている人でも、その人の親・兄弟・子どもからの援助で生活できる場合には、生活保護を受けることはできないとされてきました。たしかに、自分の子どもが大金持ちになった人は、子どもから援助を受けて生活することもできるでしょう。しかし、現実に援助を受けていない場合に生活保護を否定することは、その人にとって非常に酷な場合があります。

また、生活保護は、自分の能力を活用して、それでも生活できない場合にだけ受けることができるとされています。そのため、本人が健康であり、老親や幼児の世話をしているなどの事情がない場合は、自分で働いて生活費を稼ぐことが求められます。しかし、そのような条件も厳しく考えると問題が生じます。実際に、なんとか働けるという健康状態の人でも職がみつからないというのはよくあることです。そのような人に「あなたは働けるから保護しない」という対応をしたことで、餓死・自殺などの残酷な結果をもたらした事例があります。

さらに、生活保護は、自分の資産（財産）を活用して、それでも生活できない場合にだけ受けることができるとされています。そのため、例えば、高価なダイヤモンドをもっている人は、それを売って生活費にあてることが求められます。しかし、どこまでの資産が「最低限度の生活」に必要なものとしてもつことを認められるのかは、時代と状

況によってちがいます。たとえば、少し前まではクーラーは「ゼイタクだ」と考えられていましたが、現在では「最低限度の生活」のための生活必需品と考えられるようになり、生活保護を受けている人もクーラーをもつことが認められています。

どれだけの生活保護が受けられますか？

憲法25条は、たんなる「最低限度の生活」ではなく、「健康で文化的」な「生活」を保障しています。その意味では、パンと水だけが支給されて「なんとか生きています」というだけでは不十分であり、「健康な生活」に必要な衣・食・住が提供され、新聞・テレビで情報をえることができるような「文化的な生活」が保障されるべきです。

実際の生活保護の金額は、国の定める生活保護基準で決められています。その内容は「健康で文化的な最低限度の生活」を維持できるものでなければならないとされ、居住地域・世帯人数・年齢に応じて細かく設定されています。この点、昔は生活保護の金額はきわめて低く、今から50年くらい前は「下着は1年間に1枚しか買えない」という程度の金額しか認められませんでした。そのため、そのような金額では「健康で文化的な最低限度の生活」が保障されているとはいえないとする裁判が起こされましたが、最高裁判所は生活保護の金額は原則として国会や内閣が決めてよいとする立場に立って原告の主張を認めませんでした。しかし、その後、国民全体の生活が豊かになるにつれて、生活保護の金額も徐々に引き上げられました。

生活保護の引き下げが始まっている！

しかし、今から20年くらい前から、生活保護の金額を引き下げる方向での生活保護基準の見直しが始まっていきました。

2004年には、70歳以上の人に一定額をプラスして支給する「老齢

加算」が段階的に廃止されることになりました。「70歳以上の人が70歳未満の人に比べて多くのお金を必要としているとはいえない」という理由です。これにたいして，老齢加算の廃止は憲法25条に反するという裁判が起こされましたが，最高裁判所は専門家の意見を踏まえて廃止されたことを強調して訴えを認めませんでした。

　2013年以降，生活保護の金額は全体的に減額されました。その理由として物価が下がったことがあげられましたが，生活保護を受けている人の生活費は下がっていないとの指摘もあります。また，生活保護を受けていない低所得者とのバランスをとるという理由もあげられましたが，それは「ほかにも貧しい人がいるのだからガマンしろ」という考え方であり，「健康で文化的」な生活を保障する憲法25条の理念に合致しないとの批判もあります。そのため，2013年以降の生活保護の削減に対しては，全国各地で裁判が起こされています。

　最初に登場したタカアキさんが老齢加算の廃止により弟に会いに行けなくなったとすれば，「家族に会う」という「あたり前の生活」ができなくなったことであり，「健康で文化的な最低限度の生活」の保障に反するようにも思われますが，どうでしょうか。

もう一歩

「最低限度の生活」のために必要な条件はその人ごとに異なる場合があります。たとえば，都会では電車やバスがあるのでクルマは生活必需品とはいえませんが，クルマがないと買い物にも病院にも行けないような所に住んでいる場合には，生活保護を受けている人でもクルマをもつことが認められる場合があります。

必要性・合理性

最高裁判所は，憲法判断に際して非常に抽象的な表現を用いるのが大好きです。その1つが「必要性・合理性」です。これは，違憲審査に際して法律の目的が公共の福祉に適合している場合に，その目的実現のために採用されている方法・程度が憲法上正当なものになっているのかどうかを判定するために用いられる基準を示す言葉です。チームが勝つという正当な目的を追求するためには，4番打者ばかりを並べるのではなく，適材適所に選手を配置することが必要で合理的になるという使い方と同じです。つまり，法律が正当な目的を追求しているとしても，そこで用いられている方法や人権にたいする規制の程度が必要でも合理的でもなければ，その法律は憲法上正当なものとはいえないのです。最高裁判所は，そのために，法律の定める内容をさまざまな観点から審査して，法律によって用いられている規制の程度や方法について，本当に目的達成のために必要で合理的かを考えて違憲審査を行っています。

（春名　麻季）

30 「ストライキ」って何？
―― 勤労権・労働基本権

　今から20年くらい前の話ですが，2004年9月18日～19日に予定されていたプロ野球公式戦は，すべての試合が行われず，その後に再試合も行われないままシーズンが終了しました。大雨が降り続いたわけでもなく，何か大規模な災害が発生したわけでもありません。それは，プロ野球選手会が「ストライキ」(スト) を行った結果でした (野球の話ですが「ストライク」の間違いではありません)。さて，「スト」とはなんでしょう？　それは，一般の会社員でもできるのでしょうか？　あるいは，警察官でもできるのでしょうか？　まずは，憲法が「働く権利」について何を保障しているかをみていきましょう。

働きたい！――「勤労の権利」

　世の中には，自分で会社やお店を経営して生活している人がいます。しかし，学校を卒業して社会人になるときに，いきなり会社やお店を経営する立場になる人はあまりいません。多くの人は会社などに雇われて働き，給料をもらって生活することになります (このような立場の人は「労働者」とよばれます)。

　そこで，憲法27条1項は，国民に「勤労の権利」(働く権利) を保障しています。残念ながら，今のところ，国がすべての国民にたいして仕事を保障してくれるわけではなく，自分の仕事は自分で探さなくてはなりません。しかし，それでも国は，ハローワーク (国が職業紹介などを行う機関。「公共職業安定所」ともいわれます) で仕事を紹介するなど，仕事を探している人が職にありつけるように努力しなければな

らないことになっています。

長時間労働・低賃金労働はいやだ！

　会社に雇われて働く場合には，会社の指示にしたがって働き，会社で決められた給料を受け取ることになります。しかし，「毎日徹夜で働け！」といわれれば身体を壊(こわ)してしまうし，毎日働いて月の給料が「1万円です」といわれたら生活ができません。

　そのため，憲法27条2項では労働時間や給料などについて法律で基準を定めなければならないとしています。たとえば，「労働基準法」という法律では，あまりに長時間の労働をさせることが禁止されています。また，「最低賃金法」という法律では，都道府県単位で決められた時間額以上の給料を払わなければならないと決められています。

納得できる条件で働くために——労働基本権（労働三権）

　それでも，実際の労働時間や給料は，労働基準法や最低賃金法に違反しない範囲で，会社と労働者との契約（約束）できまります。しかし，ふつうの場合には労働者は会社にたいして弱い立場にあるので，自由な交渉にまかせてしまうと，労働者が損するだけになります。

　そのため，憲法28条は，労働者が会社と少しでも対等な条件で交渉できるように，労働者の側の権利として労働基本権（団結権・団体交渉権・団体行動権）を保障しています。このように，労働基本権は——「表現の自由」や「生存権」などのように国と国民との関係で保障される権利ではなく——会社と労働者との関係で保障される権利であるという特徴があります。

組合を作ろう！——団結権

　労働基本権として，第1に，労働組合を作る権利（団結権）が保障

されています。実際に、労働者1人ひとりは会社のなかで弱い立場にあることが多いので、労働者はまとまって労働条件（労働時間や給料）の改善を要求した方が効果的だと思われます。

戦後の日本では、多くの労働者が、労働組合に加入して、労働組合を通じた労働条件の改善要求を行ってきました。しかし、最近では、仕事内容や働き方の多様化が進み、集団で交渉するメリットをみいだしにくい状況になっていることもあって、労働組合に加入する労働者の割合が減っています（多いときには50％以上だったのに、現在では20％以下にまで落ち込んでいます）。しかし、働く条件が悪くなっている今だからこそ、労働者が労働組合を通じて意見を表明することには意義があるように思えます。

団交しよう！！──団体交渉権

第2に、労働組合には会社と交渉する権利（団体交渉権）が保障され、会社は交渉を拒否できません（労働組合の人などは、「団体交渉」のことを「団交」とよび、団交にはテンションを上げてのぞみます）。

たとえば、会社の業績は伸びているのに給料は上がらない場合に、自分1人が「給料上げろ！」とは言いづらいので、労働組合が団交で給料の引き上げを要求してくれると助かります。また、だれかが不当な理由でクビになった場合に、その人をまもるために労働組合が団交で会社に撤回を要求することもできます。実際に、本人以外にとっても、不当な理由でクビにするような会社の体質を見過ごすのはヤバイことなので、労働組合が交渉することに価値があるのです。

ストしよう！！！──団体行動権

第3に、労働組合には「ストライキ」（スト）をする権利（団体行動権）が保障されており、会社側はストで損害を受けても労働組合に損

害賠償を請求することはできないとされています。

ストとは、労働者が会社の仕事を放棄して、会社の業務を停止させ、経営者を困らせ、労働者の要求を聞き入れさせようとする手段です。実際に、何時間交渉しても会社が労働者の要求を聞いてくれない場合に、労働者側が「泣き寝入り」するしかないとすれば、なんのための労働組合かがわからなくなります。そのため、労働組合は、最後の手段としてストをすることができるのです。

ストは、労働者にとっても厳しい手段です。なぜなら、ストで仕事を放棄すればその分の給料はもらえなくなるし、会社の業績が悪化して倒産したりすれば元も子もなくなります。しかし、それでも、会社の業務を停止させて経営者を困らせることが会社との交渉に有効だと判断されれば、多少の犠牲や危険をおかしてでもストが行われることになります。現実には、ストは会社にも労働者にも負担を強いるものであるために、実行されることは少なくなっていますが、それでも、「最後の手段」としてスト権があること自体は、会社にたいして労働条件の改善を促す効果があるといえるでしょう。

警察官のスト？

民間の会社に勤務する会社員は、もちろん、労働者であり、労働組合を作って、ストを行うことができます。それでは、警察官などの公務員はストをすることができるのでしょうか？

公務員は、国や自治体に雇われて給料をえているので、労働者に含まれます。しかし、法律で労働基本権は制限され、ストは禁止されています（とくに、警察官は労働組合を作ることも禁止されています）。

このように公務員の労働基本権を制限することは憲法28条に反するのではないかが争われましたが、最高裁判所は、公務員の職務は公共性の高いものであるため、ストを禁止しても憲法違反ではないと判

断しています。しかし，民間でも公共性の高い仕事は数多く存在していますが，必ずしもストが禁止されているわけではありません。その意味では，公務員だからという理由だけでストを一律に禁止することは行きすぎた制限といえるでしょう。

経営者の好き勝手は許さない！──プロ野球選手会の闘い

社会的関心を集めたストとして，最初にあげた2004年9月にプロ野球選手会が行ったストが思い起こされます。このストの原因は，同年6月に当時の近鉄球団とオリックス球団の合併案がもち上がったことがきっかけとなり，プロ野球の経営者側が12球団を10球団に減らしセ・リーグとパ・リーグの2リーグ体制を1リーグ体制に移行する動きをはじめたことでした。

そのような改革は野球選手・野球ファンが望まないものであったため，選手会は，「2リーグ12球団制」の維持を求めて，プロ野球史上初のストを行いました。経営者側は，ストを黙認し，選手会に損害賠償請求なども行いませんでした。そして，最終的には，選手会の希望どおりに「2リーグ12球団制」は維持され，近鉄球団の代わりに楽天球団が誕生してパ・リーグに加盟することになりました。

2013年に田中将大投手を擁する楽天イーグルスが日本シリーズを制し，今ではパ・リーグを代表する球団になっているのも，憲法28条のおかげ，といったら，いい過ぎかもしれませんが……。

もう一歩

労働組合の力を強くするために，会社と労働組合の取り決めで，その会社で働くすべての労働者を労働組合に加入させるようにすることがあります。その場合に，労働者の「労働組合に入らない自由」を保障しなくてよいのかが問題になります。

第３編
国民主権と政治のしくみ

31 政治の最終的決定権をもつ国民
―― 象徴天皇制と国民主権原理

　政治の主役はだれでしょうか。明治憲法時代に統治権の総攬者(国家権力を一手に収める者)とされていた天皇は，日本国憲法のもとでは日本国および主権者である日本国民統合の象徴とされ，もはや政治の主役とはいえません。それでは，政治家の人たちでしょうか。しかし，政治家にだけ政治をまかせておくわけにはいきません。政治や裁判のしくみは，立憲的意味の憲法（☞ *42*）の究極目標である基本的人権の保障に適するように構築する必要があります。そこで，日本国憲法は，「国民主権」原理を基本的人権の保障とともに憲法を支える基本原理の1つとしています。そのために，国民が政治の主役となるよう「国民主権」原理に，憲法全体にわたって，とくに統治機構の全体においてそれに重要な役割を果たす位置づけを与えています。

天皇はミッキーマウス？

　日本国憲法は，明治憲法時代の「統治権ヲ総攬」する存在（明治憲法4条）であった天皇が，「日本国」および「日本国民統合」の象徴であり，その地位は「主権の存する日本国民の総意」にもとづく（1条）と規定しています。そして，天皇は，「国政に関する権能」をもたず，「内閣の助言と承認」にもとづく「国事に関する行為のみ」を行う存在である（3条，4条1項）とも規定しています。このように，天皇はもはや主権者ではなく象徴にすぎないこと，日本国民が主権者であり，国政のあり方を最終的に決定する力をもつのは日本国民であること（このような体制を「象徴天皇制」といいます）が宣言・確認され

ているといえます。

　日本国憲法が天皇を「象徴」であると定めることに何か特別の意味があるのでしょうか。この点については，一般的に特別な意味はなく，戦前の主権者としての地位を否定し，象徴にすぎなくなったことを確認する意味しかないと考えられています。したがって，「天皇を日本国および日本国民統合の象徴だと考えろ」といった憲法上の要請がそこにこめられているとは考えられていません。通常，ある具体的な何かが抽象的な別のものの象徴であるという場合（たとえば，鳩を平和の象徴にするとか，ディズニーの象徴としてのミッキーマウスなど），そう考えるかどうかは個々人の心理的な作用に依存することになります。そのために，天皇が象徴としての地位にあるとしても，そこから何か具体的な憲法上の効果が発生することはなく，むしろ主権が日本国民にあることを宣言・確認する意味しかもたないということです。

国民1人ひとりが主権者とは？

　国の最高の権力を天皇のような君主がもつということは，一般に理解しやすいのですが，国民がそのような最高の権力をもつとはどのような状態を指すのでしょうか。「国民主権」にいう「国民」が1人ひとりの個々の具体的な人民（people）であるとすれば，われわれはみんな主権を保有する存在だということになります。そして，わたしもあなたも，彼も彼女もみんながもつ権力が主権という国家の最高の力であるとすれば，だれか1人が国家の政治的決定というものに反対の意思表示をすると，それは最高の力によって否定されたものとしてその政治的決定が覆されることになります。国民主権という場合，必ずしもそのような状態を指すものとして用いられているわけではないことは，少し考えてみれば理解できるのではないでしょうか。

　それでは，「国政のあり方を最終的に決定する力をもつのは日本国

民である」というのはどのような意味でしょうか。1人ひとりの具体的な個々人が国政のあり方についての最終的な決定権力をもつものでないことは，すでに述べたとおりです。「国民主権」原理がその意味で理解されれば，まさに自分と意見がちがう人々を殺しでもしないかぎり，国の政治的決定は行えないことになります。フランス革命期にジャコバン派とよばれた人々（より具体的にはロベスピエールという指導者）と意見がちがう人々が，ギロチンにかけられていったのは，まさに1人ひとりの個々人が国王のもっていた主権を引き継いだと考えられたためだといえます。文字どおりに1人ひとりの個々人，すなわち個々の人民が主権を有すると考えると，そのような「恐怖政治」が待っているといえるのかもしれません。

抽象的集合体としての「国民」とその代表？

そこで，「国民主権」にいう「国民」とは，個々の具体的人間を指すのではなく，抽象的な人間の集合体としての「国民（nation）」ととらえる見解が登場します。ここでは，国王（あるいは天皇）のもっていた最高の権力が，個々の人民にではなく抽象的な集合体としての「国民」に移行したと考えられたのです。この考え方では，主権の移行が1人の国王から1人ひとりの人民へと行われたと考えるのではなく1人の人間の有する力が1つの集合体へ移行したことから，具体的に存在するすべての個々人がある一定の国政のあり方に賛同する必要はなく，一応，全体としての「国民」がそのあり方に賛同しているとみなせれば，それでその政治的決定は正当化されることになります。そして，この場合の「国民」主権は，政治的決定を行う権力そのものというよりも，実際になされた政治的決定を正当化する原理としてのみ機能するものとなります。

それでは，この考えのもとで，だれが実際に政治的決定をするので

- 1人ひとり（人民＝people）が主権をもつという考え

政治的決定ができない（全員一致は不可能）

- 抽象的集合体としての国民（nation）が主権をもつという考え

政治的決定

しょうか。「国民」は，抽象的な集合体を意味するだけで具体的な存在ではありませんから，国政のあり方についての政治的決定を下すことができません。そのためにここでは，具体的存在としての「国民」の代表者が必要になります。ただ，この場合の代表者は，必ずしも具体的な個々人の代表ではなく，抽象的集合体としての「国民」の代表でよいために，個々人の投票により選ばれる必要がないことはいうまでもありません。たとえば，サッカー日本代表，なでしこジャパン，野球の侍ジャパンなどのように，われわれが選んだわけではないのに，代表者が「国民」の代表だとみなすことができればそれでよいのです。ここでの「国民」主権原理は必ずしも代表民主制，議会制民主主義とはまだそれだけでは直接につながりません。独裁者であっても「国民」の代表者とみなせれば，その政治的決定は正当化されるという結果になってしまうのです。フランス革命の混乱の後に英雄ナポレオンが登場し，最終的にはフランスの代表者として皇帝にまでなったことを想像してもらえれば，「nation」としての「国民」主権原理は理解できると思います。

融合された「国民主権」原理!

　以上のように,「国民主権」原理というものは, それほど簡単に理解できる原理ではありません。それは, 個々具体的に存在する個々人がさまざまな考えをもち, さまざまな人生を送っていることとも関係します。また,「国民」を抽象的な集合体としても, 実体のない存在に主権を与えてしまうことは, むしろ具体的個人を主権者とすることと同じくらい恐ろしいことかもしれません。そこで, 現実には, 憲法典において, 両者のよいところをそれぞれ選択し, 問題点をそれぞれ異なる考え方によって補うことで「国民主権」原理を具体化していこうとすることになります。

　まず, 現実に存在する具体的な個々人を政治的決定のプロセスから排除することは, 基本的人権の主体（☞ *4*）としての個人を尊重していることになりません。そこで, 個々人に政治的意思決定プロセスにかかわってもらうことが必要になります。ただ, その場合に, 1人の人間に政治的決定を覆すほどの権力を与えるのは問題があるので, 一定の限定された場面で, 等しくすべての個々人に参加の機会を主権の行使として保障することが重要になります。それが, 代表者を選定する（選ぶ）, あるいは罷免する（クビにする）という場面での「国民固有の権利」としての「公務員の選定罷免権」（15条1項）です。これにより, 国民主権原理のもとで実際に権力を行使するきっかけが保障されることになります。憲法では, 国民代表機関としての国会の両議員の選挙（43条1項）や最高裁判所の裁判官の国民審査（79条2項）など, 個々の国民（実際には有権者）がその権利を行使する場面が規定されています。

　同時に, そのようにして選ばれた国民の代表者による決定は, まさに国民代表による決定として, 国政のあり方を決める内容をもつこと

になります。この決定にたいして具体的な個々人が異議をとなえたとしても，それが具体的な個人の基本的人権を侵害すると裁判所で判断されないかぎり，その決定は正当な国家権力の行使として妥当であるとされます。主権者国民の代表者によって構成される国会が「国権の最高機関」(41条)として，国政の基本的なあり方にかんする政治的意思決定を第一次的に下すものと位置づけられることになります。そして，国会により指名された内閣総理大臣を中心に組織される内閣や，内閣の指名と任命にもとづき選任される裁判官による裁判所の決定は，もともとは国民が選んだ代表者の決定にもとづくものとして，やはり正当化されることになります。現代の「国民主権」原理は，この意味で，政治プロセスでの一定の限定された場面（選挙での投票など）での具体的個々人による決定という主権者としての権利行使のきっかけと，国民が選んだ代表者による決定の正当化原理として，2つの側面をあわせもつものとして機能することになります。

もう一歩

　象徴天皇制のもとで，天皇は国事行為以外に「象徴」としての活動ができるのかという点が議論されています。また，法律で定められているとはいえ，「国歌」や「国旗」，元号の使用は象徴天皇制の具体化ではないのかも議論の対象になります。なお，天皇の代替わりは皇室典範の定めるところ（天皇の崩御（死亡のこと））により行われることになる（2条，皇室典範4条）のですが，平成から令和への代替わりは生前の皇位継承という形で皇室典範の改正ではなく一代限りとして特例法によって行われました。これは，憲法上問題なかったのでしょうか。
　また，マスコミではしばしば「主権者は国民である」とのフレーズで，政府の活動を非難することがありますが，その場合の「国民主権」とはいかなるものかを検討することも必要といえるでしょう。

32 代表者を選ぶための方法とルール
―― 選挙制度

「有権者のみなさんは次の選挙で投票に行きましょう」。これは,選挙が行われる前の数日間,広報としてテレビやポスターなどを通じて行われている投票へのよびかけです。そこには,国民が主権者として国の政治に参加し,代表者を選挙で選ぶということが非常に大切なことであるとの考えが背景にあります。しかし,実際に国の政治的決定を行うのは,選挙で選ばれた代表者であり,国民が直接行うわけではないということも,選挙が終われば明らかになります。現実に政治的決定を行う代表者を選ぶ選挙は,主権者としての国民にとっての,政治に参加する,かぎられたものではあるが非常に重要な場面になるといえるのです。

憲法には選挙権の規定がない！

国民が主権者として,国政にわれわれの民意を反映させることは非常に重要です。しかし,憲法は,直接われわれが政治的意思の決定を行うのではなく,代表者を通じて行動することにしています(前文第1段)。そのために,代表者を選ぶ選挙という制度は,現在の議会制民主主義のもとで非常に重要な位置づけが与えられます。そして,その選挙に「選挙人」として参加できる資格・地位は「選挙権」といわれます。選挙権の性質については,政治に関与して自分の意思を表明する権利であるとともに,公務員としての代表者を選ぶ選挙に参加する公の職務(公務)としての側面をあわせもっているものと考えられています。

しかし，憲法は，この重要な選挙権そのものを直接保障する規定をもちません。もちろん，選挙で選ばれる代表者（国会議員）は公務員なので，国民固有の権利とされる「公務員の選定罷免権」（15条1項☞*31*）にそれは含まれると考えられています。しかし，憲法は，選挙権そのものではなく，選挙という制度にかんするいくつかの原則を定めることで，主権者国民の意思を国政に反映させるしくみを構築し，それに選挙人とされる個々人を参加させることにしているのです。

なお，「選挙に関する事項は，法律でこれを定める」（47条）とされているので，日本の選挙制度の内容は「公職選挙法」という法律により規定されます。そこでは，禁錮以上の刑の執行中の者や選挙犯罪により処罰されて一定期間を経過していない者などは選挙権（および被選挙権〔選挙に出て代表者となる権利〕）をもたないとされています。これは，事実上選挙権を行使することができない者，あるいは選挙の公正を害する行為を行ったため，それに関与させるのが適当でないとの理由からとられている措置です。なお，外国に在住する日本国民については，在外選挙人名簿に登録すれば，原則として投票の機会が現在では認められるようになっています。ただし，選挙人としての資格を有していても，一定の場所に一定期間住んでいないと，実際の選挙では投票が許されないことになります。

| 一定の年齢以上の国民はみんな有権者！ |

憲法は，広く公務員の選挙につき「成年者による普通選挙」（15条3項）を保障しています。普通選挙とは，財産や納税額，教育や信仰，人種，性別などを選挙権付与の要件としない選挙制度を意味します。憲法は，「両議院の議員及びその選挙人の資格」については「法律でこれを定める」が，「人種，信条，性別，社会的身分，門地，教育，財産又は収入によつて差別してはならない」（44条）としてその内容

を具体的に規定し（「門地」とは家がらや生まれのことをいいます），選挙権を与える際に「成年者」としての年齢以外の要件を課すことができないとしています。

憲法のもとで，長年にわたり「成年者」とは満20歳以上の者とされてきました。しかし，近年の世界各国の状況（およそ90％の国での選挙権年齢が満18歳以上であること）に鑑みて，また，憲法改正のための国民投票の有権者を満18歳以上としていること（日本国憲法の改正手続に関する法律3条）との関係で，2015（平成27）年6月に公職選挙法が改正され，満18歳以上の者に選挙権を付与することになりました（公職選挙法9条）。何歳ならば政治的意思決定のプロセスに参加できるのかがこの場合の「成年者」の内容であることを考えると，年齢引き下げについて，そこに一定の合理性があると考えられたといえます（なお，民法規定も改正され，2022（令和4）年4月からは一般の成年年齢も満18歳になります（民法4条））。

| 1人1票だけでなく，1票の内容も等しく！ |

選挙権が平等に付与されても，その内容に不平等があれば公正な選挙とはいえないことになります。たとえば，身分に応じて特定の選挙人に2票以上の投票を認める複数投票制や，選挙人を特定の等級に分けて等級ごとに代表者を選ぶ，あるいは等級に応じて1票の価値を変えるような等級選挙などを考えれば，それらが平等な選挙といえるかは非常に疑わしいことになります。そこで，選挙権の平等は，1人1票の原則とともに，選挙権の内容の平等，すなわち，各選挙人の投票価値の平等も憲法の要求するところと考えられています。そして，複数投票制や等級選挙が採用されていなくても，これは，通常の選挙制度において，1票の価値の不均衡（不平等）の問題として現在は争われることになるのです。

たとえば，小選挙区制度（各選挙区から1人の代表者を選ぶ制度）において，有権者が100人しかいないA選挙区と400人もいるB選挙区があったとします。Aでの1票の価値は1/100であるのにたいしてBでの1票の価値は1/400になります。A：Bの投票価値の比率は4：1になっています。つまり，Aの1票はBの4票分の価値をもつのです。1票の価値にこのような不平等がある場合，それは複数投票制や等級選挙とかわらないのではないでしょうか。そして，この問題が衆議院議員総選挙，参議院議員通常選挙が行われるたびに裁判所で争われています。

1票の価値の不均衡にかんして，しばしば価値のちがいが1：2までは許される較差とする考えが主張されています。これは，投票は1票，2票と整数で表されるから2倍になると許される限度を超えるという理由から主張されているようです。しかし，その理論的根拠はそれほどたしかだとはいえません。投票価値の平等が憲法上の要請（14条1項，15条3項，44条）だとすれば，むしろ1：1を基本にして，どのような理由と必要性にもとづきそこからずれているのかを検証することで，その較差の合理性を考える必要があります。そして，較差を正当化できる理由と必要性が示されないかぎり，それは投票価値の平等という選挙の原則に反することになるのではないでしょうか。

なお，選挙区割りに際して，都道府県という行政区画を1つの基準にして考えるという方式が，衆議院でも参議院でも用いられています。しかし，憲法上，国会議員は全国民の代表者（43条1項）であり，都道府県の代表ではありません。1票の価値の不均衡の問題を考える場合には，国民の意思を適切で，正確に反映する選挙制度が議会制民主主義の基盤であること，投票価値の平等が憲法上の要請であることを常に出発点にすることがもっとも重要なポイントになります。衆議院議員総選挙での各都道府県に最低1人の定数を与えるという1人別枠

方式は，最高裁判所でも違憲と判断されています。

| 投票をしなくても処罰されることはありません！ |

　1人1票，そして平等選挙が実現されても，投票がだれかに強制されたものであれば，その選挙は自由な国民意思の反映になるということはできません。そこで，個人の自由な意思にもとづいて投票が行われ，適切で，正確に民意が反映された代表者を選出する選挙であるためには，だれに投票したのかを秘密にしておくことができ，また，だれに投票したのかで責任を問われることがないようにしておく必要があります。そして，憲法によるこの秘密投票制の保障（15条4項）には，投票をする（あるいはしない）の自由も含まれていて，棄権(きけん)しても処罰はされません。

| 自由で公正な選挙とは？ |

　日本では，選挙運動について，さまざまな規制がかけられています。候補者は，戸別(こべつ)訪問が禁止され，文書やポスターの配布も制限され，立候補届出前の事前運動も禁止されています。選挙運動が個人の政治活動の一環であることを考えると，それらの規制は表現の自由（☞ 19）に反するのではないかという問題が提起できます。

　これについては，選挙運動についての規制は，選挙において候補者の公平で公正な競争を成り立たせるルールであり，その競争に参加する以上，すべての参加者がまもるべき前提条件でもあるとの見解があります。たしかに，野球やサッカーのようなスポーツでは，一定のルールをまもることで公平で公正なゲームが成立するといえるのですが，選挙もそれと同じなのでしょうか。むしろ，自由な活動によってさまざまな政治的主張や意見が展開されてこそ，主権者国民の自由な判断・意思にもとづく選択が可能になるのではないでしょうか。その観

点から，選挙運動にかんする規制には疑問の声も上がっているのが現状です。憲法が理想とする自由で公正な選挙とは何か，この問題をここでもう一度考えてみることが必要です。

もう一歩

　現在の選挙は政党の存在を抜きにして考えることができません。選挙制度を考える際には，政党というものがどのような存在なのかを含め検討することが重要です。

政　党

　国民のさまざまな意見を集約し，政治に反映させていくためには，政治上の意見を同じくする人々によって組織される「政党」が必要です。「政党」は，現代政治を語るときには，避けて通ることができないものです。

　このような政党にたいして，憲法はどのような態度をとっているのでしょうか。ドイツの憲法典などでは政党にかんする規定がおかれていますが，日本国憲法の場合は，条文のどこにも「政党」という言葉は出てきません。もっとも，だからといって日本国憲法が政党についてまったく無関係な態度をとっていると考えるべきではありません。最高裁判所も，ある判決のなかで，「憲法は，政党の存在を当然に予定している」と述べています。日本の場合，政党の憲法上の根拠は，21条1項の「結社の自由」にあるとされてきました。ただ，政党が果たす重要な公的役割からすると，それを純粋な私的結社と考えていいか疑問です。

　憲法に明文の規定はないものの，国会の制定した法律のなかには，政治資金規正法や政党助成法のように，「政党」にたいする資金や助成について定めたものや，公職選挙法の比例代表選挙にかんする規定のように，政党を前提としたものがあります。

（門田　孝）

33 数を頼みにする国会でいいのか？
―― 立法権と国会

　国会とは，東京都千代田区永田町にあるとんがった屋根の建物のことではありません。これは国会議事堂であって，国会とは別物です。通常，国会とは，主権者国民の代表者によって構成される衆議院と参議院をあわせたものを意味します。どちらか一方の院だけが国会ではありません。そして，国民代表機関として二院からなる国会にはさまざまな権能がありますが，そのなかでも，もっとも重要な権能が「国の唯一の立法機関」(41条) としての法律の制定になります。

| 国会が作る「法律」とは？ |

　国会のもつ立法権は，通常，国の法律を制定する権能とされています。国会が「唯一の立法機関」だというのは，憲法に特別の定めがある場合をのぞき，国会だけが国の法律を作ることができるという意味です（これを「国会中心立法の原則」といいます）。憲法上の例外の場合も，それらは法律ではなく，各議院 (58条2項) や裁判所 (77条) が制定するものは「規則」とされ，内閣が「憲法及び法律の規定を実施するために」，あるいは「法律の委任がある場合」に制定するものは「政令」(73条6号) とよばれています。そのために，「法律」とは，憲法の定めにしたがって国会が制定する法だといえます。

　ところが，これではまだ「法律」とはどのような法なのかという説明は十分になされていません。国会の作る法が「法律」である，あるいは，「法律」は国会の作る法であるという説明では，国会はどのようなものを「法律」として制定する権能をもつかの説明ができないか

らです。そこで，国会が作る「法律」とは，国家と国民の関係にかんする「一般的・抽象的法規範」だといわれることになります。

「一般的・抽象的法規範」とは，不特定多数の人にたいして，不特定多数の場合あるいは事案に適用される法を指します。法律が適用される者も，法律が適用される事案も不特定多数であることで，だれにたいしても平等に適用され，事案の処理について予測することができる法を，国会が「法律」として制定しなければならないということです。そして，国会が，まさに国民の代表機関であるからこそ，そのような法を制定する権能を独占できるのです。

| 国会だけで「法律」は作ることができる！ |

国会が「国の唯一の立法機関」であるということは，「法律」を作る権能を独占するというだけではなく，「法律」は，憲法上の例外をのぞき，国会の議決のみで成立するとの意味も含まれています（これを「国会単独立法の原則」といいます）。この点は，「法律案は，この憲法に特別の定(さだめ)のある場合を除いては，両議院で可決したとき法律となる」(59条1項)との規定において示されています。そして，この憲法上の例外は，「一の地方公共団体のみに適用される特別法」であり，この地方自治特別法（☞36）が「法律」として成立するためには，「その地方公共団体の住民の投票においてその過半数の同意」(95条)が必要とされています。

なお，多くの法律は，内閣によって提出された法案をもとに，国会での審議がはじまります。内閣にそのような法案提出の権能を認めることは，国会単独立法の原則に反することにならないのでしょうか。もしなるとすれば，日本の「法律」のほとんどすべてが憲法違反として無効になってしまいます。ただこれについては，内閣によって法案が提出されても，その内容にかんして国会（すなわち衆参両院）でしっ

かりと審議され,両院で可決されているのであれば,法律の成立に内閣が関与したということにならない,いいかえれば,法案提出権を内閣に認めても,それ自体は「法律」の成立要件ではないから問題ないとこれまで考えられています。

| 「法律」制定でも参議院よりも衆議院の方が優越する！ |

　衆議院と参議院の二院制を採用する国会は,その相互の関係について一定の場合の衆議院の優越を規定しています。内閣は,予算をまず衆議院に提出しなければなりませんし,条約や予算の承認には衆議院の判断が優先されます（60条,61条）。さらに,内閣総理大臣の指名でも衆議院の優越が認められています（67条2項）。「法律」の制定については,これらの場合ほどではありませんが,衆議院で可決した法律案を参議院が否決した場合,「衆議院で出席議員の3分の2以上の多数で再び可決したとき」にそれは「法律」になる（59条2項）としています。

　この衆議院の優越から,法律案が衆議院で可決されたのに参議院で否決された場合に,内閣が衆議院を解散して主権者国民の民意を問うという手法が用いられることがあります。これはとくに,衆議院で与党（国会での多数派を形成して内閣を構成する政党・会派。与党以外の党を「野党」,与党と野党をあわせて「与野党」といいます）が3分の2の議席を有していない場合に行われます。衆議院での再可決に必要な議席数の確保を目指して,内閣が衆議院を解散し,内閣が実施しようとする政策の是非を直接国民に問いかけるという方法です。衆議院と参議院の多数派が異なる場合も,与党が衆議院で3分の2の議席を有していない場合にはこの方法が利用される可能性があります。ここに,日本の国会が二院制であることからくる,権力の暴走にたいする主権者国民によるチェック機能の働く場面があるといえることになります。

仲間の数が多ければ強いといえるが……

　国会は，複雑で微妙な問題を含む法律の制定に際して，しばしばうまく機能しなくなることがあります。与野党のあいだでの協議がととのわず，委員会あるいは本会議がひらけないという状態です。もちろん，与党が圧倒的な数の議席をもっている場合には，会議の開催や採決を強行して法律を制定することもあります。このような場合は，まさに数の力で，反対の意見を押さえつけるという，多数決ルールの問題を実感することになるのではないでしょうか。

　しかし，なぜ与野党間の協議がととのわなければ国会は機能しなくなるのでしょうか。ここに，国会が会議体として活動することの1つの特徴が表れることになります。会議体が活動するためには，通常，その活動に必要な最小限の出席者数が決められています。この数が定足数（ていそくすう）とよばれ，会議体の活動について，通常は，会議をひらいて審議を行うために必要な定足数と，会議体として意思決定をするために必要な定足数（これを「表決数」といいます）の両方が定められています。憲法は，「各々（おのおの）その総員の3分の1以上の出席がなければ，議事を開き議決することができない」として定足数を規定するとともに，議事については「出席議員の過半数でこれを決し，可否同数のときは，議長の決するところによる」として表決数を定めています（56条）。

　この規定からわかるとおり，憲法は，定足数を比較的ゆるやかに定めています。そのために，衆議院・参議院で過半数の議席をもたない政党であっても，3分の1の議席があれば議事をひらくことができ，その出席議員の過半数で議事を可決あるいは否決することができます。これは，少数派であっても一定の議席数を有しているならば多数派を牽制（けんせい）することができるしくみ，いいかえれば，主権者国民のなかの少数意見を無視できないしくみとなっているのです。たしかに，多数決

33　数を頼みにする国会でいいのか？──立法権と国会　　189

ルールで議事を決する国会では数が頼みになりますが，数だけではないしくみも憲法は用意しているのです。ただし，実際には少数派だけで会議をひらくことは難しく，現実にまだこのような事態は発生していません。

| 審議は一定の期間内で！ |

国会は，「法律」の制定を含めて，一定のかぎられた期間内でその権能を行使することになります。いつまでもダラダラと議論を続けることが国政運営においてよいとはいえないからです。そして，国会が活動する期間は，一般に会期とよばれ，憲法は，毎年1回定期に召集される常会（52条），臨時の必要に応じて召集される臨時会（53条），衆議院議員総選挙ののち，30日以内に召集される特別会（54条1項）の3つのものを定めています。この会期制を採用する場合，各会期において国会は独立して活動するのが原則になり，会期中に議決されなかった案件は原則として，次の会期に継続しないとされています（会期不継続の原則。国会法68条）。

なお，衆議院が解散したときは参議院も同時に閉会になります。そのために国会は活動しなくなるのですが，この場合に法律の制定や予算の改訂など国会の開会を要する緊急の事態が生じたときには，国会の権能を代行する措置が必要になります。それが，「国に緊急の必要があるとき」の参議院の緊急集会です（54条2項）。この緊急集会を求めることができるのは内閣のみであり，緊急集会では参議院の議決が国会の議決になります。ただし，緊急集会でとられた措置はあくまで緊急の必要にもとづく臨時のものにすぎませんから，「次の国会開会の後10日以内に，衆議院の同意がない場合には，その効力を失ふ」（54条3項）とされています。

もう一歩

　一般的・抽象的法規範という意味では，国家間あるいは国家と国際機関とのあいだで締結される条約や，「法律の範囲内」で地方公共団体の議会により制定される条例（94条）もあります。それらがどのようにして成立するのかにかんして，国会の権能とも関連づけて検討してみてください。

　また，国会内での少数派を擁護するしくみは，定足数だけではありません。臨時会の召集についても「いづれかの議院の総議員の4分の1以上の要求があれば，内閣は，その召集を決定しなければならない」（53条）とされていますが，臨時会の召集を決定するのが内閣であるために，野党からの要求があっても，内閣はその召集の要求を無視し続けることがしばしばあります。このような内閣の姿勢は，憲法上問題ないのでしょうか。

34 仕分けで決まる予算?
―― 財政民主主義と予算

　何をするにも世の中お金が必要です。国（以下では地方公共団体も含むものとします）の活動にもお金が必要なのはいうまでもなく，そのお金はほとんどが国民の税金で賄われています。国民から集めた税金で国が活動する以上，その使い方についても場当たり的になんでもありというわけにはいかないことも当然でしょう。収入が少ないのに支出が多くなると借金に苦しまなければならないのは，一般の家計と同じです。そのために，国の財政についても，やはりちゃんと収入と支出をコントロールすることが重要です。問題は，それをだれがどのように行うかです。

| 財政は国会を中心に！ |

　国が活動していくためには膨大なお金が必要になります。国の財政については，もともと必要に応じて国王が恣意的（自分の思いのまま）に税金を徴収し，それを使用するという方法で運営されていました。しかし，恣意的で場当たり的な課税や使用にたいしては，当然，お金を巻き上げられる国民からの反発が強く，それをきっかけにして革命が起こるという事態にまでいたったことは，歴史の教訓になっています。このように国の財政が適正で健全に運営されることに国民は大きな関心をもつので，近代の立憲主義体制（☞ *42*）では，国の財政は国民代表機関である国会を中心にコントロールしていく方法でのぞんでいます。

　憲法は，「国の財政を処理する権限は，国会の議決に基いて，これ

を行使しなければならない」(83条)として，財政の基本原則を明らかにしています。いうなれば，それは，国の財政について，国会が中心になって民主的にコントロールするという財政民主主義を採用しているということです。皇室財産を国有化し，皇室の費用も予算に計上して国会のコントロールのもとにおく規定(88条)からも，象徴天皇制(☞ *31*)と財政民主主義との両立をはかる方法といえます。なお，かつてのように皇室に膨大な財産が集中することを防ぎ，一定の国民と不公正なつながりを生み出さないようにするために，皇室が財産を譲り渡したり譲り受けたりすることについても国会の議決にもとづくこと(8条)とされ，ここにも主権者国民の代表機関である国会のコントロールを及ぼすことになっています。

税金を取るためには法律にもとづくこと！

国の収入の大部分は，国民や法人から徴収する税金になります。この国の収入面を国会によりコントロールすることは「租税法律主義」とよばれます。憲法は，「あらたに租税を課し，又は現行の租税を変更するには，法律又は法律の定める条件によること」(84条)としてそれを定めています。なお，この租税法律主義は，「代表なければ課税なし」と表現され，近代国家の根本的な原理の1つとされています。具体的には，税の新設・廃止や納税義務者，税金算出の方法，徴収手続などは，法律にもとづいて定めるものとされています。

ここでいう「租税」とは，国がその経費を支払うため国民などから強制的に徴収するお金，いわゆる税金を意味します。ですから，国が行う特定のサービスにたいする対価・手数料や特定事業の受益者に課せられる負担金は租税には含まれません。ただし，これらのお金を国会の議決にもとづいて賦課(お金の提供を課すこと)・徴収することも，国会中心の財政民主主義・租税法律主義の趣旨からすれば妥当である

と解されてはいますが、租税そのものは特定のサービスや給付にたいする対価としての反対給付の性質をもつものではありませんので、一応、それらを租税とは区別しておくことは可能です。

国の収入・支出は予算という形式で！

法律にもとづいて税が賦課・徴収されても、そのようにして集められたお金が恣意的で場当たり的に使用されるのであれば、国の財政が健全だとはいえません。そこで、集められるお金（収入・歳入（さいにゅう）ともいいます）の予測とその使い方（支出・歳出（さいしゅつ）ともいいます）は、毎年、「予算」という形式で作成され、国会がそれを審議・議決することで、財政に民主的コントロールが及び、その健全化がはかられることになります。憲法は、「内閣は、毎会計年度の予算を作成し、国会に提出して、その審議を受け議決を経なければならない」(86条)と規定し、予算の作成権を内閣に与えつつも、国会での審議・議決を要することにしています。なお、国会での予算の審議・議決については、衆議院の先議権、議決についての優越が規定されています (60条)。

なお、予算は、会計年度ごとに作成されます。日本では、一会計年度を1年（原則として4月1日から翌年の3月31日）としているために、予算は毎年作成されることになります。そして、予算の効力は、その会計年度かぎりとされています。

予算は歳入歳出（国の収入と支出）のたんなる見積もりではない！

予算は収入にたいするたんなるお金の使い方についての「見積表」ではなく、お金を使う政府の行為を規律する法規範としての性質をもっています。いいかえると、予算で示された内容・金額で政府はお金を使用しなければならないのです。そのために、多くの欧米諸国では、予算を法律の一種とみなしています。ただ、日本国憲法のもとでは、

予算は，その作成と提出権が内閣にあること，審議・議決についての衆議院の優越が認められていること，国民を拘束するのではなく政府を拘束するだけであること，その効力が常に一会計年度にかぎられていることなどから，法律とは異なる，まさに「予算」という独自の法形式だと考えられています。

予算が法律だとすると，その執行になんの問題も発生しないのですが，予算を独自の法形式だとすると，予算は成立したのにそれを執行する法律が存在しない，逆に法律は存在するのにその執行を裏づける予算がないといった，予算と法律の不一致の状態が発生する可能性があります。前者の場合は，予算が政府を拘束しますから，内閣は執行のための法律案を国会に提出してその制定のための努力をする必要があります。また，後者の場合は，内閣には「法律を誠実に執行」する義務があります（73条1号）ので，補正予算の作成や予備費（87条）の計上のほか，法律の執行を延期するなどの方法で対処する以外にありません。これらの場合，国会は，必ず法律を制定しなければならないとか，補正予算や予備費を承認しなければならないなどの義務はありません。ここにも，徹底した国会中心の財政民主主義の原則が貫かれています。

予算の内容を国会は仕分けできるか？

内閣による予算作成の段階で，どのぐらいのお金を何に配分するのかについて，「仕分け」という作業でふるいにかけることが行われたことを記憶されているかたも多いのではないかと思います。そのように作成された予算であっても，国会での審議・議決を免れることはできません。そうだとすると，内閣が予算に計上しなかった内容を，国会の審議において復活させ，それを議決することができるのでしょうか。内閣によって作成・提出された予算の内容を，国会が修正できる

のかという問題は，予算が法律であればなんの問題もありません（法律案を国会が修正できるのはあたり前のことだからです）。しかし，予算を独自の法形式ととらえると，国会に認められているのは内閣提出の予算を可決あるいは否決することだけであり，修正は内閣の予算作成権の侵害になるとする考え方があります。

　これにたいして，国会中心の財政民主主義の考え方からすれば，国会が予算を否決できるのであればそれを修正することも可能ではないかとの見解も存在しています。しかし一般には，内閣の予算作成権を損なわない範囲での修正ならば可能とされています。そうはいっても，内閣の権限を損なうかどうかはきわめて不明確です。結局は，法律の執行を不可能にするような予算の減額修正や，責任ある予算の執行を不可能にするような財源の確保ができない増額修正は，いかに国会の議決であっても望ましくないといえるのではないでしょうか。

お金の決算はきちんと報告すること！

　国のお金の収支の決算については，毎年，内閣から独立した会計検査院が検査を行い，「内閣は，次の年度に，その検査報告とともに，これを国会に提出」（90条）しなければなりません。そのうえで，内閣は，「国会及び国民に対し，定期に，少くとも毎年1回，国の財政状況について報告しなければならない」（91条）とされています。これは，国の現実の収支の実績としての決算だけでなく，国の現実の財政状況も，国会だけでなく国民にたいしてきちんと報告することを内閣に義務づけているのです。借金まみれの国の財政状況については，その改善・是正へ向かうよう，国民がそれこそ直接監視の目を光らせておくことが必要と考えられたための方法になります。

もう一歩

財政にかんしては、公金や公(おおやけ)の財産についての支出禁止の規定（89条）がおかれています。それは、公金等の適正な管理・民主的コントロールの観点からのものですが、同時に政教分離原則（☞ *18*）ともかかわる問題として、しばしば裁判で取り上げられています。

また、決算において中心となる会計検査院は、独立行政委員会（☞ *35*）といわれるものの1つで、そのしくみを知っておくことも重要です。

Coffee Break ⑩

国家賠償(ばいしょう)請求権

なんにも悪いことをしてないのに警察官に殴(なぐ)られてケガをしたとしましょう。その後に、警察官に「あー、勘違(かんちが)いでした。ごめんなさい」といわれても、それで許してしまう人は少ないと思います。ケガの治療費や慰謝(いしゃ)料をもらわないと納得できないでしょう。

この点、明治憲法では「国家無答責(むとうせき)」（国家の権力行使にかんして責任を追及することはできません）という原則があったため、国民が泣き寝入りするしかないことも多くありました。

これについて、日本国憲法17条は、公務員の違法行為による損害について、国民が国や地方自治体に賠償請求できることを定めており（これを「国家賠償請求」といいます）、具体的な制度は「国家賠償法」という法律で決められています。たとえば、アツシくんがA県警の警察官Yに正当な理由なく暴力を振るわれたとすれば、A県にたいして損害賠償を請求できるのです。

この本で紹介されている裁判のなかには、国による人権侵害にたいして国家賠償請求をした裁判が含まれています。とくに、きわめて例外的な事例ですが、国会議員たちが憲法違反の法律を作ったこと自体が「違法な権力行使」として賠償請求が認められる事例もあるのです。　　　　（植木　淳）

35 リーダーとしての首相とその仲間たち
―― 行政権と内閣

　内閣とは内閣総理大臣とそれを取り巻く大臣たちで構成された会議体を指します。決して首相（内閣総理大臣はこのようによばれることが多いです）が内閣ではありません。しかし日本では，たとえば衆議院の解散など，憲法上内閣の権限とされているもの（3条，7条，69条など）でも内閣総理大臣の独断で決められるかのように考えられています。それはなぜでしょうか。そこには，リーダーとしての首相が，国務大臣としての仲間たちとのたんなる仲良しグループとしてではない，内閣の中心に憲法上位置づけられており，行政権の長と考えられているからではないでしょうか。でも，本当にそうなのでしょうか。

行政権を担う憲法上の国家機関

　明治憲法時代にも立法，司法，行政の区別はありましたが，憲法上も法律上も内閣という機関の規定はなく，天皇の勅令（天皇が出す法的効果のある命令）である内閣官制によってそれは定められていたにすぎません。これにたいして日本国憲法は，権力分立（三権分立）原理を背景に，行政権を帰属させる憲法上の国家機関として内閣を設置しています（65条）。

　しかし，現実に行政権を行使しているのは内閣だけではありません。大臣や霞が関の官僚だけでなく，警察官や消防士，公立学校の先生も，あるいは役所で働く人たちも，一般に公務員とよばれる人々は，みんな行政の担い手であり，行政権を行使する立場にあります。そこで，「国の唯一の立法機関」（41条）とされる国会や，「すべて司法権」が

帰属するとされる裁判所（76条1項）とは異なり、憲法は、内閣だけに行政権が帰属することを規定しなかったのです。

また一般には、「行政」という仕事は、立法府である国会が制定した法律を執行する作用を意味すると考えられています。そして、法律を直接執行するのは、合議体としての内閣ではなく、それぞれの活動について権限をもつ行政機関になります。そのために、内閣が行政権の主体であるといっても、それは、内閣を行政機関のなかの頂点において最高責任機関とし、原則としてほかのすべての行政機関が内閣の統括のもとにおかれていることを意味するものと考えられています。

| 国民代表機関のコントロールのもとにおかれる行政権 |

アメリカの大統領制は立法権と行政権を完全に分離しますが、日本国憲法は、内閣の成立と存立を国民代表機関である国会の意思に依存させる議院内閣制を採用しています。たとえば、内閣総理大臣は国会議員のなかから国会の議決で指名され（67条1項）、内閣総理大臣によって任命される国務大臣の過半数は国会議員でなければなりません（68条1項）。衆議院で内閣不信任の議決がなされた場合には内閣が総辞職するか衆議院を解散して国民の審判をあおがなければならないこと（69条）、衆議院議員総選挙後には内閣は総辞職しなければならないこと（70条）という規定も、内閣が国会の信任にもとづくことを示しています。また、内閣総理大臣や国務大臣は、国会の各議院に議席を有するかどうかにかかわらず、いつでも議案について発言するため国会の各議院に出席することができるし、答弁や説明のため出席を求められたときは、出席しなければならない（63条）とされていて、ここにも議院内閣制のもとでの国会と内閣の連携が規定されています。

それらの規定と同時に、内閣の国会にたいする連帯責任（66条3項）も、内閣の行政権行使にかんする責任についての一般原則として示さ

れています。これは，明治憲法時代には大臣が個別に単独で天皇にたいして責任を負っていたのと異なり，内閣が国会にたいして連帯して責任を負い，行政権の行使については国民代表機関である国会による民主的コントロールのもとに内閣がおかれることを明らかにしたものです。もちろん，個々の大臣がその担当する事務にかんし，あるいは個人的理由について単独の責任を追及されることはありますが，内閣を組織する国務大臣は，内閣総理大臣とともに一体となって行動することが求められます。ここに，首相とその仲間たちは，一体となって主権者国民の代表機関のもとにおかれているのです。

内閣から独立した行政機関を設けることは許されるか？

以上のように，最高責任機関としての内閣が，行政権の行使にかんして連帯して国会の民主的コントロールのもとにおかれるとするならば，形式上は内閣の指揮監督を受けず，独立して行政権を行使する行政機関を設けることは憲法に違反するのでしょうか。行政のなかには人事や警察などのように，政治家集団としての内閣からは中立的に独立して行われた方が，国民の権利利益保護の観点からすればよいものもあるはずです。そこで，そのような領域・分野の行政については，内閣から独立した中立的・専門的な機関（「行政委員会」など）にそれを担当させることが望ましいといえそうです。

憲法上は，内閣から独立してその職務を執行する行政機関として会計検査院（90条）が規定されています。憲法上の機関以外にも，「独占禁止法」とよばれる法律に規定される「公正取引委員会」のように，内閣総理大臣のもとにおかれていながらも，その職権行使には独立性が認められているものも存在しています。ここでは，委員等の任命について国会の両議院の同意が必要とされ，内閣総理大臣を経由して毎年度法律の執行状況報告を国会にたいして行うとされていて，直接に

国会のコントロールが及ぶ組織とされています。

このことからもわかるとおり、形式的に内閣から独立した行政機関は憲法上許されないとするのではなく、職務内容の独立性・中立性の有無や民主的コントロールの方法などを総合的に考えて判断すべきものといわれています。

なお、国のレベルでは独立行政委員会は非常にかぎられた数しか存在していませんが、地方公共団体では、教育委員会や人事委員会、選挙管理委員会、監査委員、公安委員会など、行政委員会制度が積極的に活用されています（「地方自治法」という法律に定められています）。

| 内閣総理大臣の仕事とは？ |

内閣総理大臣は、内閣という会議体の長（首長（しゅちょう））としての地位にあり（66条1項）、国務大臣の任免権をもちます（68条）。また、国務大臣の訴追（そつい）（検察官が起訴すること）についての同意を与える権能（75条）や、法律・政令に主任の国務大臣とともに連署（一緒に署名すること）する権能（74条）をもっています。それ以外にも、内閣という会議体の首長としての地位から、内閣総理大臣には、「内閣を代表して議案を国会に提出し、一般国務及び外交関係について国会に報告し、並びに行政各部を指揮監督する」（72条）権能や義務が定められています。また、内閣総理大臣がいなくなれば内閣は総辞職しなければならず（70条）、会議体としての内閣において内閣総理大臣の首長としての地位と権限が強化されているのです。そして、これらの権能は、内閣の一体性と統一性を確保して、内閣の国会にたいする連帯責任の強化をはかることから定められたものであって、議院内閣制と密接に関連するものと考えられています。

なお、内閣総理大臣が内閣を代表して国会に提出する議案のなかには、法律案も含まれると考えられています。法律が作られる場合に、

内閣総理大臣による国会への法律案の提出がその出発点になっていることが多いのが現状です (☞ **33**)。

内閣の仕事とは?

　首相とその仲間たちで構成される内閣は、その職権行使を閣議（内閣のひらく会議のことです）によって行うものとされています。この閣議決定にもとづき、内閣総理大臣が行政各部を指揮監督することになります。内閣は、行政権の最高責任機関として、広い範囲の行政事務を処理するとともに、法律の誠実な執行と国務のとりまとめ、外交関係の処理、条約の締結、公務員にかんする事務のとりまとめ、予算の作成と国会への提出、法律の範囲内で、あるいは法律の委任にもとづいての政令の制定、恩赦の決定という事務（73条）を行うことになります。これ以外にも、最高裁判所長官の指名（6条2項）とそのほかの裁判官の任命（79条1項、80条1項）、国会の臨時会の招集（53条）、予備費の支出と国会にたいする事後承認の求め（87条）、決算報告と財政状況の報告（90条1項、91条）などの権能や、天皇の国事行為にたいする助言と承認を与える権能（3条、7条）もあります。直接に国民にたいして行政権を行使するわけではないといっても、内閣は、重要な政策課題の決定を含め、さまざまな仕事をする機関として位置づけられています。

もう一歩

　地方公共団体の長は、住民が直接選びますが（93条2項）、現在の議院内閣制のもとで、アメリカ型大統領制のように内閣総理大臣を主権者国民が直接選ぶようなしくみを構築することができるのでしょうか。この点を含めて、国と地方公共団体の行政のしくみのちがいを理解することが必要となっています。

36 都道府県や市を勝手になくすことは可能か？
―― 地方公共団体と地方自治

　近年のサッカー人気のおかげで，地元のクラブを応援する人たちが増えています。これまでもプロ野球では，1つの地域に1球団しか本拠地をもつことができないというフランチャイズ制のもとで，地元のチームがいちばんと思う人が多かったのですが，サッカーではそれがさらにおし進められ，ホームタウン制のもと，スタジアムは地元クラブのサポーターで埋め尽くされていることも稀ではありません。

　実は憲法にも，自分の住む地域を大事にしようとする原理が含まれています。

国が先か，地方が先か？

　憲法上の権力分立原理（☞ *42*）は国家権力を3つに区分するもの（いわゆる三権分立制）だけではありません。国を地理的に区分することによって，国と各地域の機関に公権力を分配するしくみも，近代の権力分立原理の1つの制度となります。日本国憲法では，それを地方自治制度とよんでいます。そこでは，国の諸機関とは別に，公権力を行使する主体としての地方公共団体の存在が規定され，その「組織及び運営に関する事項」は法律で定めることとされています（92条。具体的には「地方自治法」という法律で定められています）。

　現在の地方自治制度では，市町村を基礎的な地方公共団体とよび，それを包括する広域的な地方公共団体としての都道府県が存在しています。そして，「住民に身近な行政はできる限り地方公共団体にゆだねることを基本」にして，国はそれが「本来果たすべき役割を重点的

に担(にな)」うこととし、「地方公共団体に関する制度の策定及び施策の実施」にあたっては、「地方公共団体の自主性及び自立性が十分に発揮されるようにしなければならない」（地方自治法1条の2第2項）とされています。

しかし、この内容は、国の法律で定められています。ということは、地方公共団体は、国に従属する機関にすぎないことになるのでしょうか。いわゆる国が先か、地方が先かの問題です。現在、地方を元気にすることで日本全体を元気にしようという取り組みが、国の主導により行われていますが、これには、政策はまず国から出発するとの発想があるのではないでしょうか。歴史的な事実としては逆（つまり地方から拡大して国へと発展してきたという歴史）ではないかといっても、現在の地方自治制度では発想がむしろ逆転しているのではないかということです。ただ、いずれが先であっても、現行制度のもとでは、法律の内容は以下に述べる「地方自治の本旨(ほんし)」（92条）にもとづくものでなければならず、国の中央政府から独立した地方公共団体が存在していなければならないことにかわりはありません。

中央政府から独立する団体の存在

「地方自治の本旨」の意味の1つは、地方公共団体を、地域の問題について国やほかの地方公共団体から独立して自主的に処理できる存在にすることです（これを「団体自治の原則」といいます）。ある地方公共団体が、国やほかの地方公共団体に従属していたのでは地域の問題を独立して自主的に処理する「自治体」とはいえないからです。

地方公共団体は、「その財産を管理し、事務を処理し、及び行政を執行する権能」とともに「法律の範囲内で条例を制定する」権限を憲法上与えられています（94条）。この地方公共団体の自主行政権・立法権の規定は、まさに、「地方自治の本旨」のうちの「団体自治の原

則」を具体化したものと考えられています。

ただ問題は,憲法が何を「地方公共団体」にあたるのかを定めていない点にあります。現在,「地方自治法」という法律で定められている市町村や都道府県を憲法上の地方公共団体と考えることができるのでしょうか。できるとすれば,それを廃止したり変更したりすることは憲法違反となることになります。

最高裁判所は,憲法上の地方公共団体について,住民の共同体意識があることと,歴史的にみて,その実態が自治の基本的機能をもっている存在であることを基準に判断するとしています。この点で,基礎的な地方公共団体としての市町村は,一般に憲法上の地方公共団体にあたると考えられています。ただ,憲法が,都道府県と市町村という現在の二段階構造を要請しているかどうかについては争いがあります。二段階構造が地方自治制度の基盤を強いものにするという観点から,市町村の存在はそのままに,現在の二段階構造を法律が修正することは可能であると考えられています(たとえば都道府県のかわりにもっと広域の「州」にするという「道州制」も検討されています)。しかし,その場合でも,やはり「地方自治の本旨」からはずれるような法律の内容は認められないといえるでしょう。

| 「民主主義の学校」としての地方自治 |

「地方自治の本旨」のもう1つの意味は,地域の問題をそこに住む住民が自己の意思にもとづき,自己の責任で処理するという原則になります(これを「住民自治の原則」といいます)。「自治」という文字どおり,自分たちに直接かかわる地域の問題を住民が自主的に処理するという住民自治の原則が,団体自治の原則とともに「地方自治の本旨」の両輪とされているのです。そして,住民自治の原則は,国レベルの広い範囲ではなく,地方公共団体という限定された小さな地域だから

こそ、住民が自分たちのことを自分たちで決めるという民主主義が実践でき、有効に展開できる場であるとして、地方自治が「民主主義の学校」になるとする機能を果たすことになります。

　地方公共団体は、憲法上、「議会を設置」（93条1項）するとともに、その長や議会の議員などは、「住民が、直接これを選挙する」（同条2項）として、その機関の民主化がはかられています。このように、議会の議員だけでなく、執行機関の長（市町村長や都道府県知事）も住民の直接選挙で選ぶことが規定され、国の議院内閣制とは異なるしくみが地方公共団体では採用されています。

　この憲法上の住民による直接選挙という民主主義の具体化だけでなく、国にたいしては認められていないような、一定の問題（条例の制定・改正・廃止、議会の解散、議員・長・役員の解職など）についての住民の直接請求権が法律で規定され、そのことによって「住民自治の原則」の内容がより豊かにされています。つまり、憲法上規定される選挙を通じた代表民主主義の制度（長や議会による地方公共団体の政策運営）だけでなく、法律上の住民の直接請求権は、住民が、長や議会の活動を場合によっては直接コントロールし、自分たちが住む地域の問題を、まさに自分たちで決めるための手法として、とくに憲法上の「住民自治の原則」に適うものと考えられて採用されているのです。

　なお、住民自治の原則を豊かにするもう1つの方法として、法律では、住民が地方公共団体の機関や職員の不当な公金支出や税金の徴収を怠る行為などについての住民訴訟も規定されています。そこでは、地方公共団体のお金の使い方などの問題について、事前に一定の手続を経ることが必要ではありますが、住民は住民としての資格で裁判所にお金の使い方を争う訴訟を提起することができます。それが地方公共団体の行為にたいする納税者としての住民の重要なコントロールの1つの方法となっています。

1つの地方公共団体にのみ適用される特別法（地方自治特別法）

　ある特定の地方公共団体にのみ適用される法律（「地方自治特別法」とよばれます）は、まさに国の立法権による地方公共団体への干渉(かんしょう)になるとともに、地域の問題についての住民の自己決定をも侵害することになります。つまり、そのような地方自治特別法は、「地方自治の本旨」の団体自治・住民自治の両方の原則を侵害するものとなるのです。そこで、憲法は、地方公共団体の自治権を保護し、住民の自己決定をまもるために、地方自治特別法については国会での議決だけでなく、ターゲットになった地方公共団体の住民投票による過半数の同意がなければ制定できないことにしています（95条）。

　ただ、特定の地方公共団体の自治権にかかわるような事項を定める法律でも、国の事業として実施されるものを定める場合には、地方自治特別法にはあたらないとされています。さらに、国の政策の一環として特定の地方公共団体にのみ負担を課すような場合であっても、地方自治特別法を制定することなく、より一般的な法令によってそうした政策が実施されています（たとえば、沖縄の基地問題やエネルギー政策の一環としてのさまざまな地域でのダム建設や原子力発電所建設などの問題をあげることができます）。

　そこで、直接民主主義の理念にもとづき住民自治を具体化する方法として、政策等への賛成・反対を問う住民投票の制度を条例で設ける地方公共団体が増えています（たとえば、原子力発電所や産業廃棄物処理場などの建設の是非や在日米軍基地の存続などについてのものがあります）。しかし、住民による政策反対の意思表示がなされてもそれは法的な効力をもつわけではなく、知事や市町村長に国との交渉を行うことを求める（実はそのような交渉を義務づけることもできない）意味しかないといわれています。

もう一歩

　21世紀に入って地方分権が進み，国と地方の役割分担が明確化されたのに，まだ地方公共団体が国の下部機関のように思われているのはなぜでしょうか。法律による地方公共団体への関与の方法や，地方公共団体の事務執行のための財源の問題などを憲法論として考えてみることも重要な課題となります。

Coffee Break ⑪

国政調査権

　国会での「証人喚問(かんもん)」という言葉を耳にしたことがあると思います。たとえば，政治家の汚職問題で，当事者が議院によび出されて，さまざまな質問に答えるという場面を思いおこしてください。これは，正確にいうと，衆参各議院の国政調査権（62条）という権限の行使になります。この国政調査権とは，各議院が与えられた権能を実効的に行使するために付与された権限ということができます。そして機能的には，それは，国政にかんする事実を主権者である国民の前に明らかにするという意味をもちます。

　そこで，各議院の国政調査権の範囲は，自らに付与された権能の範囲内においてのみ及ぶということになります。ただ，議院の権能は法律案や予算案の審議などを中心に，国権の最高機関の一員として非常に広い範囲に及ぶために，その範囲は実際には国政全般にわたることになります。そのうえで，政治家の汚職事件でしばしば脚光を浴びますが，そこには刑事裁判において政治家の法的責任を追及する検察事務，そしてひいては司法権の独立との関係での微妙な問題も提起される可能性があります。

（井上　典之）

第4編
権利や憲法をまもるしくみ

37 裁判所のお仕事
——司法権の範囲と限界

　ある大学の期末試験の成績発表直後のことでした。

　トオル「どうしたん？　真っ青(さお)な顔して。」

　アツシ「……『法学』の単位落として，2年次留年が決定した。今から樹海行ってくる……。」

　トオル「いやいや。それくらいで死んだらアカンやろ！　どんな答案書いたん？」

　アツシ「『罪刑法定主義について論ぜよ』って問題だったんで，罪刑法定主義とは，犯罪と刑罰を……って書いた。」

　トオル「それってオレとまったく同じやん。オレは『優』やったで。」

　アツシ「なんでボクだけ『不可』なん？」

　トオル「知らんがな。先生に聞いてみ。」

　＊＊1週間後……。

　アツシ「先生に文句いっても『ボク忙しい』って相手にされないんだよ。こんなヒドイ対応ってあるかよ（泣）。」

　トオル「泣きごといっても解決せんやろ。裁判でも起こしたらええやん！」

　アツシ「裁判？」

　さて，アツシくんは，大学の単位が「不可」になったことを理由として，大学や教員を相手に裁判を起こすことができるでしょうか？

裁判所は「具体的事件」がなければ裁判しない

　憲法では，裁判所には「司法権」という権限があると決められています。そして，「司法権」とは，「法律を適用して具体的事件を解決する作用」であると考えられています。

　そのため，裁判所は，「具体的事件」が発生した場合にだけ裁判を行うことになっており，「具体的事件」とは，特定の人の権利が侵害されるなど権利・義務にかんするもめごとが発生している場合のことをいいます。逆にいえば，裁判所は，「すべてのもめごと」を解決してくれるわけではなく，特定の人の権利・義務に関係しないもめごとにかかわってくれません。たとえば，日本史の専門家のあいだでは卑弥呼の邪馬台国が，近畿地方にあったのか，九州地方にあったのかが議論されていますが，九州を心から愛する人が裁判所に「邪馬台国は九州にあったことを認めてください！」と訴えを起こしても，それは特定の人の権利にかんする訴えではないので，裁判所は裁判をしてくれないのです。

　この点，アツシくんが「法学」の単位を「不可」とされたことが「具体的事件」になる場合はありえます。たとえば，教員の明らかな間違いによって単位が「不可」とされ，その結果として，アツシくんが進級できず，学費や生活費などで損害を受けているとすれば，それは「具体的事件」になるように思われます。

「法律を適用して解決できる事件」でなければ裁判しない

　ただし，裁判所は，「法律を適用して具体的事件を解決する」ことが仕事なので，「具体的権利」にかんする訴えであっても「法律を適用することによっては解決できない事件」については裁判を行わないことになっています。たとえば，お金や土地にかんする争いでも，そ

の解決のために宗教上の教えにかんする判断が必要な場合には、裁判所は判断をしないのです。

過去の例では、ある宗教団体が建てた寺院の本尊(ほんぞん)（寺院での信仰の対象となるもの）がニセモノであったことを理由にして元信者が起こした寄付金の返還を求める裁判が問題となりました。その事件で、最高裁判所は、寄付金の返還を求める裁判は「具体的事件」ではあるけれども、そこで必要になる本尊がホンモノかどうかの判断は「宗教上の価値」にかんする判断であって、「法律を適用して解決できる事件」ではないと判断しました。

このような判断にはいろいろな意見があると思います。実際に、その本尊がホンモノかどうかは、考古学者とか歴史学者とかが科学的に鑑定して判断することができるかもしれないので、裁判所は判断を行うべきだという意見もありえます。しかし、それをホンモノだと信じること自体が「宗教」であって、裁判所が真偽(しんぎ)（ホンモノかニセモノか）の鑑定をすること自体が妥当ではないという意見もありえるでしょう。たとえば、ヨーロッパでは聖母マリアが復活して出現したとされる聖地が存在しますが、それを「ウソだ」と主張する人が裁判所に訴えを起こしたときに、裁判所が科学的な調査を行って真偽を判断することは、多くの人の信仰を傷つけるでしょう。

この点で、アツシくんの訴えが「法律を適用して解決できる事件」になるかどうかは微妙です。たとえば、アツシくんの単位が「不可」になった理由が、教員の学問的判断によるものであれば、それにかんして裁判所が判断することはできないと考えられます。しかし、アツシくんの単位が「不可」になった理由が、たんなる記載ミスであるとか、あるいは、実は教員が答案を紛失してしまっているということであれば、それは「法律を適用して解決できる事件」になる場合があり、アツシくんの訴えは認められる余地があります。

「法律を適用して解決できる事件」でも裁判しない場合がある

裁判所は、「法律を適用して解決できる事件」を解決するのが仕事ですが、それができるときでも、例外的に裁判をしない場合があるとされています（以下は、アッシくんの事例にはあまり関係ありません）。

第1に、外国との関係で、外国政府が国家として行う行為には、日本の裁判所の裁判権は及ばないとされています。たとえば、日本国内には、アメリカ軍の基地がありますが、周辺の地域の住民はアメリカ軍の飛行機の訓練による騒音がうるさくても、アメリカ政府を被告として裁判を起こすことはできないとされています。

第2に、憲法で、例外的に裁判所以外が「裁判」を行うことが決められている場合があります。具体的には、悪いことをした裁判官をクビにするための裁判は、国会が行うことになっています。また、国会議員になる資格がないのに国会議員になっている人をクビにするための裁判は、衆議院議員の場合は衆議院が裁判し、参議院議員の場合は参議院が裁判することになっています（そんなことは実際にはほとんどありませんが）。

第3に、裁判所は国会や内閣の自主的な判断にまかせるべき内部的な手続の是非については判断をしないことになっています。たとえば、国会との関係で、裁判所は、国会が作った法律が合憲か違憲かは判断しますが（☞ 39）、その法律が作られたときに国会のなかでどのような手続がとられたのかについては口を出さないことになっているのです。

裁判所は「団体内部の問題」には口を出さない？

最後に、裁判所は、自主的なルールにより運営されている団体に干渉するべきではなく、団体内部の問題は一般社会の法律関係に影響す

る場合にしか裁判所の救済が及ばないとする考え方がありました。そのため，過去の裁判では，地方議会の議員に対する出席停止処分には裁判所の救済が及ばない（除名処分の場合には裁判所の救済の対象になりうる）と判断されたり，また，大学における単位の認定・不認定には裁判所の救済が及ばない（卒業・修了判定の場合には裁判所の救済の対象になりうる）と判断されたりしています。

そのような過去の裁判を前提にすれば，アツシくんの訴えは，大学内部の問題であることを理由にして，裁判所による救済が及ばないということになりそうです。しかし，団体内部の問題であれば，どんな不公正な取り扱いがされても泣き寝入りするほかはないという判断には批判があり，最近では地方議会での出席停止処分にも裁判所による救済が及びうるとする判決も出されています。

たしかに，単位認定は教員による専門的な判断に任せるべきであるといえるので，原則的には裁判所が教員の判断を覆すのは望ましいとはいえません（そんなわけで，実際には，アツシくんの訴えが認められる可能性は非常に低いものになります）。しかし，大学内部の問題だからといって，最初から裁判所の救済が及ばないとするべきではなく，明らかに不正な目的で成績をつけたとか，単純な採点間違いだったなどの事情がある場合には，裁判所が救済することが認められるように思います。

もう一歩

裁判所は，外交，安全保障，国家機関相互の行為（国会と内閣の関係）などの「高度に政治性のある国家行為」については判断を行うべきではないと論じられることがあります。しかし，そのような考え方は，裁判所を「法の番人」と考える憲法の理念にはそぐわないという批判もあります。どちらの意見が正しいか考えてみてください。

38 もめごとを解決する裁判のしくみ
―― 裁判所の組織・活動

マキさんは困ったことになりました。

友だちのケイコさんに100万円貸したのに返してくれないのです。1か月前,ケイコさんから「急にお金が必要な事情ができた。1週間で返すから100万円貸して」といわれたので,親から振り込まれていた大切な100万円を貸してしまいました。それなのに,1か月たってもケイコさんはお金を返してくれず,ラインしても電話しても返事が来ません。このままでは大学の学費が払えなくなってしまいます。

でも,おかしいな? 別の友だちからは,最近ケイコさんが海外旅行に行ったって聞いたし,お金に困っている様子はないようです。

もしかして,だまされてる?

| 裁判所は何をしてくれるのか?

マキさんのような状況になった場合には,裁判所に訴えてケイコさんからお金を取り戻すことができます。

憲法では,裁判所には「司法権」という権限があると決められています。「司法権」とは,法律を適用して「具体的事件」を解決する作用だと考えられており(☞ *37*),具体的には,国民どうしで権利・義務にかんするもめごとが起こった場合には,当事者は「民事裁判」を起こして救済を求めることができます。また,犯罪が発生した場合には,国を代表して検察官が「刑事裁判」を起こし,被告人に刑罰を科すことを求めることができます。

ここでは,マキさんにはケイコさんに「お金を返してください」と

いう権利があるため（逆にいえば，ケイコさんには「お金を返す」という義務があるため），マキさん（原告）はケイコさん（被告）にたいして「民事裁判」を起こし，裁判所に救済を求めることができるのです。そして，その場合には，裁判所は，ケイコさんの側の主張を聞いたうえで，マキさんの側の主張が正しいと認めれば，ケイコさんに「100万円を返しなさい」と命令してくれます。それでもケイコさんがお金を返さない場合には，裁判所が強制的にケイコさんからお金を取り立ててくれます。

それとは別に，ケイコさんが最初からお金を返すつもりがないのにお金を借りたとすれば，それはマキさんを「だました」ということになり，「詐欺罪」という犯罪になります。その場合には，警察官や検察官が捜査したうえで，検察官がケイコさんを被告人として「刑事裁判」を起こすことができます。そして，裁判所は，ケイコさん側の主張を聞いたうえで，有罪が無罪かを判断し，有罪であれば懲役刑とか罰金刑のような刑罰を科すことになるのです。

| 裁判所のしくみ |

マキさんが裁判（民事裁判）を起こしたいと考えた場合に，どこに行けばよいのでしょうか？

憲法および「裁判所法」という法律では，裁判所は「最高裁判所」，「高等裁判所」，「地方裁判所」の3段階で構成されています。これとは別に，家族のもめごとや少年の起こした事件などを担当する「家庭裁判所」や，少額の裁判などを担当する「簡易裁判所」などがあります。

通常の事件にかんしては，地方裁判所に訴えを起こして，そこで自分の主張が認められなければ，高等裁判所に「控訴」することができ，そこでも自分の主張が認められなければ，最高裁判所に「上告」する

ことになっています。

裁判官はどんな人たち？

裁判所でマキさんの訴えを認めるかどうかを判断するのは、裁判官です。

裁判官は、司法試験という難しい試験の合格者のなかから選ばれます。最高裁判所以外の裁判官は、最高裁判所の作成した名簿にもとづいて内閣によって任命されることになっています。ただ、裁判官の任期は10年ときまっていて、10年ごとに再任されるかどうか判断されることになります。このようなしくみが採用されることで、内閣（政府）に都合の悪い判決を書いた裁判官が再任されない（事実上クビになる）という危険があり、裁判官の中立性が脅かされるおそれ（再任されないことをおそれて、裁判官が政府の考えにそった判決をするおそれ）が出てきます。そのため、よほどの事情がないかぎり、再任を拒否されてはならない（クビにならない）と考えるべきです。

最高裁判所の15人の裁判官は内閣が決定することになっています。最高裁長官（1名）のみは、実質的に内閣が指名して、儀礼的に天皇が任命するというしくみになっており、そのほかの裁判官（14名）は内閣が任命するというしくみになっています。実際に最高裁裁判官として選ばれるのは、裁判官、弁護士、検察官、行政官、外交官、大学教授などであった人たちです。

最高裁判所については、国民が衆議院選挙のときに最高裁裁判官が適任かどうかを審査して、国民の過半数に「クビにするべきだ」と判断された裁判官は罷免される（＝クビにされる）という制度（国民審査）があります。しかし、一般の人は最高裁裁判官なんて名前も知らないことが多いので、今までこの制度でクビにされた最高裁裁判官は1人もいません。もう少し、最高裁判所の活動が国民の注目を集めるよう

な機会が必要なのかもしれません。

裁判の中立・公平をまもるために

マキさんとケイコさんが裁判で争っている場合に、裁判所は中立で公平な立場で判断してくれないと困ります。たとえば、ケイコさんが有力な政治家に手を回して裁判所に圧力をかけることによって裁判所がケイコさんに有利な判決をするようなことがあってはならないのです。

そのような裁判の中立・公平をまもるために「司法の独立」が保障されており、そこには2つの内容が含まれます。第1に、裁判所が、国会・内閣などの政治的機関から裁判の内容に干渉されないようにする必要があります（司法府の独立）。第2に、個々の裁判官が、裁判所やほかの裁判官などから干渉を受けずに、自らの良心にしたがって裁判を行う必要があります（裁判官の職権行使の独立）。

とくに、裁判官の職権行使の独立を保障するために、憲法は「裁判官の身分保障」のための規定をおいています。たとえば、裁判官の給料を減額することは許されませんし、裁判官たる身分を奪うことにはきわめて厳格な手続が必要とされています。このような身分保障も、マキさんを含めた国民にたいして公平な裁判を受ける権利を保障するために必要だと考えられているのです。

裁判の公開

憲法では裁判は公開しなければならないと定められており、国民は裁判を傍聴することができます。

ここで重要なのは、裁判の公開は、訴訟当事者（とくに刑事事件の被告人）の権利をまもるためのしくみであるということです。というのも、昔は、王様やお奉行様などの権力者たちが、密室でいい加減な

裁判を行っていたため，無実の人が処罰されるなどの人権侵害がしばしば起こっていました。そのため，現代の憲法では，裁判を公開して，国民が監視することによって，不当な裁判が行われないようにしているのです。

ただし，裁判を公開することで公共の利益や個人の権利が侵害されるような場合には，判決だけを公開して，それ以前の審理手続は非公開にすることができるとされています。また，たとえば，少年が犯罪を行った場合に家庭裁判所で行われる少年審判手続などは，そもそも厳密な意味での「裁判」ではないので公開の対象になっていません。

通常の事件は傍聴することが可能ですので，一度は裁判所に行って裁判を傍聴してみましょう。ただし，傍聴席では静かにしていないと裁判長に退席させられることもあるのでご注意ください。

もう一歩

2009（平成21）年から裁判員裁判がはじまりました。裁判員裁判とは，重大な犯罪にかんする刑事事件について，一般国民からなる裁判員6名と，裁判官3名が話し合って判決を出す裁判のことです。裁判員裁判が開始された理由は，専門家だけで行う裁判の内容が一般国民の感覚とズレているという意見があり，一般国民からなる裁判員を参加させることで裁判に国民の感覚を反映させようということにあります。これにたいして，裁判員制度は，①裁判官の職権行使の独立に反する，②被告人の公正な裁判を受ける権利を害する，③強制的に裁判員にさせられる国民の自由を害する，などという批判もあります（☞*13*）。専門家（裁判官）にまかせた方がよいのか？　一般国民（裁判員）の意見を聞いた方がよいのか？　みなさんはどう思いますか？

39 ボクも「憲法違反だ！」と言いたい
―― 違憲審査制

（以下の話は近未来のフィクションです。）

202X 年，日本政治は暗黒時代に入りました。アンコク総理大臣の支配する国会が，「アンコク国家保護法」を制定して，政府を批判する発言をした者を処罰することを定めたのです。

そんななかで，アンコク政権に批判的なトオルくんとアツシくんは話し合いました。

トオル「アンコク政権の作った国家保護法は『表現の自由』を保障する憲法 21 条に反している。」

アツシ「ニシド先生もそういっていた。」

トオル「何か行動を起こす必要がある。」

アツシ「そういえば，憲法の授業で，裁判所には憲法違反の法律を無効にする権限があるって教えてもらった。今から裁判所に行って『アンコク国家保護法は憲法違反だ！』って訴えてくる！」

トオル「アツシくん，ちょっと待って！　それは無理だから……。ああ，行っちゃった……。」

アツシくんの訴えは認められるのでしょうか？

裁判所は法律が合憲か違憲か審査できる――違憲審査制

アツシくんのいうとおり，裁判所には法律が合憲か違憲かを決定して，憲法に違反する法律を無効にする権限があります（81条）。このような制度を「違憲審査制」といいます。

そもそも，法律は国民が選挙で選んだ国会議員たちが国会で話し合

って決めるものなので，法律には「国民の代表者が決めたもの」という大義名分があります。しかし，国民が選挙で選んだ国会議員たちが作った法律でも，それが個人の人権を侵害するなど憲法に違反する法律である場合には，だれかがストップをかける必要があります。そこで，憲法では，最高裁判所を頂点とする裁判所が，「法の番人」となって，法律が憲法に違反していないかどうかをチェックするしくみを作っているのです。

このようなしくみがなければ，国会が憲法を無視して国民の人権を侵害する法律を作るようになり，憲法が存在する意味がなくなります。そのため，今から200年ほど前のアメリカで違憲審査制がはじまり，現在では日本も含めて世界中の国々で違憲審査制が採用されています。

そこで，冒頭の話に戻ると，アンコク政権の作った「アンコク国家保護法」は，明らかに「表現の自由」（☞ *19*, *20*）を侵害するもので，憲法21条に違反しているように思えます。

| どんな場合に憲法違反を主張できるのか？——付随的違憲審査制 |

それでは，アツシくんの訴えは認められるのでしょうか？

結論からいうと，アツシくんが裁判所に駆け込んで「アンコク国家保護法は憲法違反だ！」と訴えても，その時点では裁判所は訴えを取り上げてくれません。

そもそも，裁判所のもっている「司法権」とは，法律を適用して具体的事件を解決する仕事のことをいいます（☞ *37*）。そのため，裁判所は，具体的事件が起きた場合にだけ「裁判」を行うことができ，その事件の解決に必要な場合にだけ，その事件に関係する法律が合憲か違憲かを審査することになるのです。このように，司法権の行使（＝具体的事件の解決）に付随して，裁判所が法律の合憲性を審査するしくみは「付随的違憲審査制」といわれています。

たとえば、アンコク政権が「アンコク国家保護法」という明らかに憲法違反の法律を作った場合でも、その法律ができただけではだれか特定の人の権利が侵害されているわけではなく、具体的事件が起こっているとはいえません。だから、アツシくんが法律の存在を知って、裁判所に訴え出ても、裁判所は審理してくれないのです。

　これにたいして、トオルくんとアツシくんが実際に「アンコク政権打倒！」を訴えて、「アンコク国家保護法」に違反した罪で刑事裁判にかけられた場合には、具体的事件が発生したことになります。その場合には、トオルくんとアツシくんは自分にたいする刑事裁判のなかで「アンコク国家保護法は憲法違反で無効」だから「わたしたちは無罪である」と主張することができるのです。

なぜ、具体的事件がないと憲法違反を主張できないのか？

　このように、付随的違憲審査制というしくみがとられると、実際に法律に違反して処罰されるリスクを侵さないかぎり、トオルくんもアツシくんも法律が憲法違反であることを主張できないことになり、酷であるように思われます。

　しかし、そのようなしくみが採用されている理由としては、具体的に個人の権利が侵害されているわけでもないのに、裁判所が法律の良し悪しに口を出すのは民主主義（＝国の政治は国民が決める）にそぐわないという考え方があるのです。実際に、法律を作るのは国民が選んだ国会議員たちなので、間接的には法律は国民の意思で作られているといえます。少なくとも、国民は気に入らない法律ができた場合には、次の選挙のときにその法律を作った国会議員を落選させて、その法律を変えさせることができるのです。

　これにたいして、裁判所の裁判官たちは、難しい試験に合格した「エリート」ではあっても、国民から選挙で選ばれているわけではな

いので，国民が裁判官の行動を左右することはできません。そのような裁判官たちが常に法律の良し悪しに口を出し，政治的な決定に参加することは望ましくないと考えられるのです。

その意味で，裁判所は，具体的事件が起きて特定の人の人権が侵害されそうになっている場合にだけ登場するという，一見すると控えめなポジションに立ちながら，いざという場合には国会の作った法律をツブす（無効にする）という強烈なパンチを放つことができる存在なのです。

違憲判決が出た場合はどうなるのか？

そこで，トオルくんとアツシくんは駅前で堂々と「アンコク政権打倒！」を訴え，実際に「アンコク国家保護法」に違反した罪で刑事裁判にかけられることになったとしましょう。そして，最高裁判所まで争い，最高裁判所が「アンコク国家保護法は憲法違反」なので「トオルとアツシは無罪」という感動的な判決を下したとします。その場合，「アンコク国家保護法」はどうなるのでしょうか？

実をいうと，最高裁判所が法律を違憲だと判断した場合でも，ただちに法律が「消えてなくなる」わけではありません。なぜなら，何度もいうように，裁判所の権限は「具体的事件を解決する」ものなので，トオルくんとアツシくんの裁判で違憲判決が出されても，あくまでも「この事件ではアンコク国家保護法は無効なので使えませんよ」と判断されるにすぎないのです。

しかし，安心してください。最高裁判所がある事件の裁判で法律を違憲と判断したということは，別の事件が起こっても，その法律が違憲と判断される可能性が高くなるということになります。そのため，通常は法律を執行する行政機関（たとえば，警察官や検察官など）は，「もうその法律は使えない」ということを前提にして行動することに

なり，その法律は事実上廃止されたのと同じ結果になります。

また，国会は，最高裁判所の判断にしたがって正式に法律を廃止あるいは改正するべきだとされています。しかし，実際には正式な法律の改正までに時間がかかってしまうこともあり，国会が法律改正をサボっているのではないかが疑われるような場合もあります。そのような場合には，「憲法をまもれ」という国民の声で，国会に法律改正を促す必要性が出てくることになります。

もう一歩

今の日本と同じように，通常の裁判所が具体的事件の解決に必要な範囲でのみ法律の合憲性を審査する「付随的違憲審査制」を採用している国として，違憲審査制の母国であるアメリカがあります。その一方で，特別に憲法問題だけを取り扱う憲法裁判所が具体的事件と関係なく法律の合憲性を審査する「抽象的違憲審査制」を採用する国として，ドイツなどがあります。ただし，「抽象的違憲審査制」を採用する国でも，すべての人がすべての法律について「憲法違反だ！」と主張することを認めているわけではなく，「だれが」，「どんな場合に」訴えを起こせるのかを細かく憲法で規定しています。これにたいして，日本国憲法ではそのような規定がなく，アメリカ合衆国憲法の影響が強くみられることから，「付随的違憲審査制」が採用されていると考えられているのです。

40 ルールがおかしいのか？ 使い方がおかしいのか？
―― 法令違憲・適用違憲・合憲限定解釈

　A市の繁華街では客引きやスカウトが通行人にしつこく声をかける行為が日常的にみられ，市民から「安心して街を歩けない」という苦情が絶えませんでした。そのため，A市は条例のなかで，客引きなどの行為を全面的に禁止するために以下のような規定を設けました。
　「路上において勧誘行為を行った者は罰金10万円に処する」。
　ちょうど，そんなときに，原発に反対する活動を行っていたアツシくんたちのグループが，A市内で署名活動を行うことにしました。すると，署名活動をしているところに警察官が近づいてきて……。
　アツシ「署名してください！」
　警察官「現行犯で逮捕する！」
　アツシ「なんで？」
　警察官「お前のしたことは，条例で禁止される『勧誘行為』だ！」
　アツシ「マジですか？」

| ルールがおかしいのか？　使い方がおかしいのか？ |

　冒頭の話から考えてみたいのは，なんらかのルールによる解決が「おかしい」と感じる場合には，「ルール自体がおかしい」場合と，「ルール自体はおかしくないけれど，そのルールの使い方がおかしい」場合の2つがあるということです。
　A市条例の例でいえば，一切の「勧誘行為」を禁じているように読める条例自体に問題があると考えるのか，あるいは，条例自体は問題ないけれども政治的な署名活動を行っているアツシくんたちまで処

罰することに問題があると考えるか，のどちらかです。

　この点，今の憲法のもとでは，国会が法律（ルール）を作り，その法律にもとづいて国の機関（行政機関や裁判所）が活動することになっています。また，地方では，県議会や市議会が条例（ルール）を作り，その条例にもとづいて地方の機関が活動することになっています。そこで，国や地方の機関の活動が「おかしい」（＝憲法に違反している）と考えられる場合には，そもそもの「法律自体がおかしい」あるいは「条例自体がおかしい」（法律・条例・命令が憲法違反という意味で「法令違憲」といういい方をします）という場合と，「法律自体はおかしくないけれど，法律の使い方がおかしい」あるいは「条例自体はおかしくないけれど，条例の使い方がおかしい」（法律・条例・命令を適用する行為が憲法違反という意味で「適用違憲」といういい方をします）という場合の2つの場合があるわけです。

| ルール自体がおかしい！――法令違憲 |

　最初に，ルール自体が「おかしい」といえる場合について考えてみたいと思います。たとえば，冒頭の例でいえば，「路上での勧誘行為」を一律に処罰の対象としているように読めるA市の条例自体が，客引きやスカウトを排除するという目的からみて規制の範囲が広すぎ，憲法21条の保障する「表現の自由」（☞ *19*，*20*）に反するように思われます。

　それと同じように，今までに日本の最高裁判所が「法律自体が憲法違反」と判断した事例はいくつかあります。

　たとえば，他人を殺した場合よりも実の親を殺した場合の方を重く処罰するとしていた刑法の規定（以前の刑法200条）は，親を大切にするという目的自体は正当だけれども，刑罰を重くする程度が極端すぎるという理由で憲法違反だとされました（☞ *11*）。

また，最近では，父と母とが結婚していなかった子ども（婚外子）を遺産相続のときに不利に取り扱う民法の規定（以前の民法900条4号ただし書）は，憲法14条の「平等原則」に反するとして憲法違反だとされました（☞ *11*）。

　そもそも，裁判所には法律が違憲か合憲かを審査する権限があることからすれば，それが明らかに憲法に違反するようなものであれば，「法律自体が憲法違反」（ルール自体がおかしい）と判断すべきだといえます。

| ルールの使い方がおかしい！──適用違憲 |

　次に，「ルール自体がおかしい」とはいえないけれど，「ルールの使い方がおかしい」といえる場合がありえます。A市条例の例でいえば，客引きやスカウトを規制するための条例自体は許されるとしても，原発反対を訴える人たちを処罰するのは「表現の自由」（21条）を侵害するものなので，そのような行為を処罰することは憲法違反であるといえるかもしれません。

　実際に起こった事例を紹介しましょう。他人の家に勝手に忍び込むことは法律で禁止されており，違反した場合には住居侵入罪という犯罪になります（刑法130条）。このように住居侵入を禁止する法律が「おかしい」という人はいません。しかし，少し前に，政府にとって都合の悪い意見が書かれたビラをポストに入れるためにマンションの建物に入った人が，住居侵入罪として処罰される事件が起きました。この点，宅配ピザや出前寿司のチラシを入れるためにマンションの建物に入る人は処罰されないのに，政治的なビラだけが処罰の対象になるのは，政府を批判する表現だけを「ねらい打ち」にするもので，憲法21条の保障する「表現の自由」の侵害であるといわざるをえません。そこで，このような例は，法律自体は憲法違反とはいえないが，

法律の使い方が憲法違反であるように思われるのです（☞ **22**）。

ただし，この事件を含めて，最高裁判所は，法律の使い方が憲法違反という判断をすることはあまりありません。

| ルールの解釈を工夫する──合憲限定解釈 |

最後に，少し手の込んだやり方ですが，「ルール自体がおかしい」とか「ルールの使い方がおかしい」とかいわずに，ルールの解釈を変えることで妥当な結論を導こうとすることがあります。このようなやり方は，ルールを言葉どおりに読むと「おかしい」（憲法に違反している）と思えるような場合に，ルールで使われている言葉の意味を限定して解釈することによって「おかしくない」（憲法に違反しない）ようにする方法であるという意味で，「合憲限定解釈」といういい方をします。A市条例の例でいえば，「路上での勧誘活動」をすべて処罰の対象にするルールは厳しすぎるので，そこで禁止される「勧誘活動」とは「利益を目的とした勧誘活動」にかぎられると読みかえて解釈することによって，政治的目的で勧誘活動をするのはルール違反ではないとするのです。

実際に起こった事例を紹介しましょう。国の活動は公平で中立的であるべきなので，国の仕事をする公務員は特定の政党のための政治的活動をしてはならないというルールがあります（国家公務員法102条）。しかし，管理職ではないふつうの公務員が休日に仕事と関係なくプライベートに政治的活動をしても，それだけで国の活動の中立性が損なわれるわけではありません（それは，市役所の職員が仕事が終わってから阪神の応援をしたからといって，市役所全体が阪神びいきをして巨人ファンの市民にイジワルをするわけではないのと同じことです）。そこで，最高裁判所は，ルールで禁止されている「政治的活動」とは，「実際に国の中立性を損なうような政治的活動」のことだけだと限定して解釈する

ことによって，行きすぎた規制がかからないようにしました。

もう一歩

　裁判官の身になって考えれば，国会や地方議会の作ったルール自体をつぶしてしまう「法令違憲」の判決を出すことは相当に勇気のいることです。そのため，ルールの解釈を操作することによって妥当な結論を出せる「合憲限定解釈」というやり方は，裁判官には好まれる手法になります。しかし，あまりに「こじつけ」のような解釈をすることは，裁判官がルール（法律や条例）を作っているのと同じことになってしまいますし，何よりもルールの内容が不明確になってしまいます。その意味では，「こじつけ」のような解釈をしないかぎり妥当な結論が出せないようなルールは，「ルール自体がおかしい」（法令違憲）と判断して，国会や地方議会に考え直してもらった方がよいということになります。そのように考えれば，公務員の政治活動を一律に禁止しているかのように読める国家公務員法102条の規定は「ルール自体がおかしい」と考えるべきだという意見も有力ですが，みなさんは，どのように思われるでしょうか？

客観訴訟

ある日のこと,テレビのニュースを見ていたアツシくんは思いました。「今回の選挙は憲法違反だよ!」。そして,考えました。「そうだ,裁判を起こそう!」。さて,アツシくんは裁判を起こすことができるでしょうか。

人が裁判を起こすためには,原則として自分の権利が侵害されていること——「具体的事件」があること (☞ *37*) ——が必要です(主観訴訟)。しかし,法律で特別に認められている場合には,自分の権利とは関係なく裁判を起こして,国などの行為が違憲・違法であることを訴えることができます(客観訴訟)。

客観訴訟の第1の具体例として,都道府県や市町村の職員のお金の使い方が違法である場合には,「住民」が「住民訴訟」という裁判を起こすことができます。地方自治体と宗教とのかかわりが政教分離原則に違反するかどうか (☞ *18*) という裁判も「住民訴訟」で争われることになります。

第2の具体例として,国や地方の選挙が違法である場合には,「選挙人」(有権者)が「選挙訴訟」という裁判を起こすことができます。「1票の較差」が憲法の平等原則に違反しているかどうかという問題も「選挙訴訟」で争われました (☞ *32*)。これを利用してアツシくんも「選挙訴訟」を起こすことができるかもしれません。

(植木 淳)

第5編
憲法とはどのような法？

41 国を形作る法としての憲法
―― 国家と憲法

　小学校高学年の社会科の教科書には,「国のしくみ」についての記述があります。そのなかで, 国のしくみ, つまり国会や内閣, 裁判所は「憲法(けんぽう)」という法の規定によって設けられていると説明されています。同時に, 人間は生まれながらに自由で平等な存在であり, みんなで仲良く協力しながら暮らしていくことが大切であるとも書かれています。そのために,「憲法」は「国の最高のきまり」と定義されていますが, それはいったいどのような意味であるのかは, 必ずしも説明されていません。

| 国とは何か？ |

　よくいわれるように, 人間は1人では生きていけません。そのために, 集団を作り, その集団がお互いに助け合いながら生きていくことになります。そのような集団となった人間の共同生活のもととなる場は, 一般に「社会」とよばれます。そして, その社会が一定の特徴を示している場合に, それは「国家」といわれることになります。

　それでは,「国家」とはどのような社会でしょうか。ある一定の地域に人が集まって共同生活をしているというだけでは, それを勝手に「国家」とよぶことはできません。その地域独自の言い回しの言葉を使い, 独自の文化をもって人々が生活しているだけで, そこを勝手に「国」としてしまうと, いたるところに「国」が成立してしまいます（かつてはそのような場合も「クニ」とよび,「わたしのクニは大阪です」ということができる時代もありました。ただし, 現在ではそのような「クニ」

という言葉は自分のふるさとを指すものとして残っているにすぎません)。そこで，ある社会を「国家」とよぶために必要な要素を示しておく必要があります。

3つの要素からなる「国家」——国家三要素説

それでは「クニ」を「国家」とするために必要な要素とはなんでしょうか。たとえば，日本国という「国家」とは何かを考えてみましょう。まず思い浮かぶのは，地図を見て日本海と太平洋にはさまれた北海道，本州，四国，九州およびそのほかの島々が日本国として示されているということではないかと思います。

そのような島々が日本国という「国家」でしょうか。いいえ，北海道，本州，四国，九州およびそのほかの島々は，たしかに日本国の領土ではありますが，それだけで日本国という「国家」になるわけではありません。そのような島々が日本国の領土であるためには，そこに住む人間がそれらを日本国の領土であると認識し，そう主張することが必要になります。そして，そこに住む人々がそこを日本国であると認識するのは，自分たちが日本国の構成員，すなわち日本国民であると考えているからにほかなりません。すなわち，一定の領土とそこに住む国民の存在が，ある社会を「国家」とするための基礎的な要素になります。

しかし，一定の地理的空間に人間が住んでいるだけで，そこがただちに「国家」になるわけではありません。その地理的空間のなかで生活する人間を秩序づけ，同時に安全で安心してその生活を営むことができてはじめて，そこに「国家」というものが登場することになります。そして，そのような秩序を維持し，人々が安全で安心した生活を営めるようにするためには，そこに一定の権力が必要とされます。さらにそこに住む人々を含めて一定の地理的空間を支配する権力（これ

を「統治権」といいます）が認められることで，その社会が「国家」とよばれるようになるのです。このように，一定の社会が「国家」とよばれるためには，領土，国民，統治権の3つの要素が必要だといわれています。

想像上の存在としての「国家」

3つの要素を備えた社会が「国家」であるとしても，それはあくまで「国家」というものを説明するために人間によって作り出された指標にすぎません。つまり，領土も国民も統治権も，「国家」が存在することを前提にした指標にすぎないのです。たしかに領土や国民という存在は物理的に目で見ることができますが，太平洋と日本海にはさまれた大小さまざまな島々やそこで生活する人々が日本国の領土・日本国民だと考えるのは，実はそこに日本国という「国家」があるとわたしたちが思い込んでいるからにほかなりません。

それではなぜ「国家」があるとだれもが思い込むことができるのでしょうか。それは，ある一定の地理的領域のなかにいるだけで一定の権力，つまり統治権に服していると思い込んでいるからです。ただ，その統治権は必ずしも目に見えるものではなく，たとえば駐車違反やスピード違反をした場合や他人を傷つけた場合に，突然目の前に現れてくることになります。普段はそのような統治権があるとは意識せず，なんとなく「国家」があると心の奥で思い込んでいるだけです。つまり，「国家」とは，通常の場合，その存在を意識することがない，頭の片隅におかれた想像上のものにすぎないのです。

目に見えるようにする約束事

「国家」があると思い込むことができるのは，まさにときどき登場する統治権が存在するからにほかなりません。しかし，その統治権は，

領土や国民のような物理的実体のある存在ではありません。ただ、それは、領土とよばれる地理的領域内ではもっとも強力で、だれもその力に逆らうことができないものである必要があります。そうでなければ、領土内での秩序を維持できないからです。さらに、領土内で安全に安心して生活を営むことができるようにするためには、その力は、外からの力にも対抗できる、あるいは少なくとも外の力と対等にわたりあえるだけのものでなければなりません。このような統治権の性質は一般に「主権」という用語で説明されます。現代の独立国家が「主権国家」とよばれるのも、想像上の存在である「国家」をあたかも実体あるもののように思い込ませるものとして統治権があると説明されることになるからです。

対内的に最高で対外的に独立した統治権という権力は、それが存在するという説明だけで目に見えるようになるわけではありません。だれのどのような行為が、どのような手順で行使されたときに「国家」の本質としての統治権が行使されたといえるのかについての約束事がなければ、やはり力はたんなる暴力とかわりないのです。給料から税金が強制的に徴収されることが強盗と区別されるのも、警察官が犯人を取り押さえるのに実力行使をしても許されるのは、それらが統治権の行使であるとする約束事があり、人々がその約束事を知っているからにほかなりません。そして、想像上の存在にすぎなかった統治権を人々の目に見えるようなかたちで実感させる約束事が、一般に「憲法」とよばれることになります。

一定の内容にもとづき文書化される約束事

「国家」を目に見えるようにする約束事が「憲法」であるならば、それはどのような時代でも、また地球上のどこでも「国家」があるとされる場合には「憲法」もあることになります。「憲法」がまさに

「国家」を形作る法であるといわれるのも、それが統治権を基礎づけ、それを目に見えるようにするからです。その意味で、「国家」のあるところには「憲法」もあり、両者はいわばウラオモテの関係にあるということができるのです。

しかし、「憲法」は国家の統治権を目に見えるようにするだけではありません。すでに述べたように、現代の「主権国家」では、統治権は領土内では最高の力となります。その最高の力が現実に目に見えるようになると、その力に服する一般国民にとって、それは大きな脅威と感じられるでしょう。そこで現在の「国家」では、「憲法」は統治権を目に見えるようにするだけでなく、統治権の内容を制限するようなかたちでの約束事になります。そのような考え方が、近代立憲主義とよばれることになり、統治権の行使を制限するために基本的人権の尊重や権力分立原理を基礎にして「国家」を形作る約束事としての「憲法」が登場するようになります（近代立憲主義については、☞ **42**）。

「憲法」が、たんなる統治権にかんする約束事としてではなく、それを制限するものとして必要とされるようになれば、たんなる約束事としてだれもが信じているというだけでは十分ではありません。統治権を行使する者がその約束事にしたがうようにしなければ、統治権を制限しているとはいえないからです。そこで、近代立憲主義のもとでの「憲法」は、統治権を行使する者にまもらせる法として、文書化されて1つの法典にまとめられることになります。たとえば、日本国という「国家」を形作る法として、成文憲法（文書化された憲法）としての「日本国憲法」がここに登場することになるのです。

もう一歩

憲法は「国家の組織や作用の基本を定める法」であるといわれるのも、まさに「国家」の本質的要素である統治権の内容を定めているか

らです。そして,「国家」といわばウラオモテの関係にある法を「固有の意味の憲法」といいます。いいかえれば,「国家」があるところにはどこにでも「固有の意味の憲法」は存在しています。そのなかで近代立憲主義の原理にもとづく内容をもつ法を「近代的(ないしは立憲的)意味の憲法」といい,イギリスをのぞきほぼすべての近代立憲国家では,それは1つの法典として文書化された「形式的意味の憲法」として制定されています。その点で,「近代的(ないしは立憲的)意味の憲法」も「固有の意味の憲法」のなかに含まれますが,前者は,近代立憲主義にもとづいて形成されている国家においてのみ存在することになります。

42 憲法によって統治権はしばられる
——近代立憲主義の特徴

「国家」がその姿を現し，われわれ市民の前に登場するようになると，その力は国内でだれも逆らえない最高のものとなるために，われわれの生活にとっては大きな脅威となります。そこで，その脅威を可能なかぎり取りのぞく必要があるわけです。近代立憲主義という考えは，まさに「国家」の脅威をできるだけおさえ込むものとして理解する必要があります。

全能の「国家権力」は存在しない

立憲主義という考えは，そうよばれていたかどうかは別にして，近代になってはじめて登場したものではありません。ヨーロッパでは，とくに古代ギリシャ・ローマ時代から，公の支配には法の裏づけが必要とする考え方が息づいていました。いかに人気があり優れた指導者でも，元老院とよばれる市民の代表組織による決定を無視して自らの力を行使しようとすれば，そこには「ブルータスよ，お前もか」☆と叫んで倒れるという結果が待っていたのです。その意味で，「国家権力」，すなわち「国家」の統治権は，まさにそれを見えるようにする「憲法」（当時からそうよばれていたかどうかは別にして）によって付与さ

☆ 古代ローマの英雄ジュリウス・シーザーが独裁者のようになり，暗殺された際，シーザーが自分の子どものようにかわいがっていたブルータスも暗殺者のなかに加わっていたことから発した最期の言葉とされています。ただし，この言葉はシェークスピアの劇「ジュリウス・シーザー」のなかで用いられているせりふだといわれています。

れるものであるから,「憲法」という約束事にしたがってのみその行使が正当化されると考えられていました。

ただし,ヨーロッパではその後,神によって統治権を付与される「国王」という考え方が登場し,民衆が生活に苦しんでいても,「パンがなければケーキを食べればよい」といって,庶民の生活をかえりみないような統治権の担い手が登場することがありました（この言葉は,正確には国王ではなく王妃によるものといわれていますが）。そこでの「国家」の統治権にかんする約束事としての「憲法」は,神によって王権を付与された者が「国家」の統治権の担い手であり,その決定が民衆を支配するという程度のおおまかなものであったのですが,そのような大雑把な支配体制がいつまでも続くわけではありません。やがて,「国家」の統治権は,一定の地理的空間のなかで生活する人々を支配するものなので,その人々に納得して受け入れられるような内容のものでなければならないと考えられるようになっていきました。

| 最高の力の担い手だからこそ…… |

だれの,どのような行為が「国家」の統治権の行使になるのかということの約束事としての「憲法」により,「国家」が目に見えるようになってわれわれの前に現れるようになると,その統治権の行使の仕方によって,国民の生活は良くなることもあれば悪くなることもあります。統治権を行使する者が優れた能力をもち,みんなに愛されるような立派な人物であっても,逆に,だれからも見向きもされないようなおバカな人物であっても,彼らの行為は,「国家権力」の行使として,国内ではだれも逆らえない最高の力とされることになります。では,この国内での最高の力の担い手が立派な人物であれば,国民の暮らしをよりよくまもっていくことができる,と簡単にいうことができるでしょうか。

理想的にはそうかもしれません。しかし、だれが国民の暮らしにとって本当に必要な立派な人物だと、どのように判断できるのでしょうか。また、その判断ができるとしても、その人物が常に国民のためになる決定を行い、その決定が誤(あやま)ることはないということができるでしょうか。この点がはっきりとしないかぎり、だれが統治権の担い手になったとしても、国民の不安は拭(ぬぐ)いきれないことにかわりはないといえるでしょう。ここから、それまでのものとは異なる立憲主義の考え方が登場していくことになります。

| 権力の独占は回避しよう！ |

　誤ることのない全能の人物を「国家」の統治権の担い手とする確実な方法がないとすれば、だれも逆らえない最高の力の脅威から人々をまもるには、その力を分割するという方法が、まず手っ取り早いものになります。というのも、最高の力が1人（たとえば皇帝・国王）あるいは1つの機関に集中すると、その力の行使をだれもとめられないのでもっとも危険なことになるからです。そこで考え出されたのが、統治権を分割する「権力分立」という原理になります。

　それには2つの次元での分割があります。その1つは一般に「三権分立」といわれており、国家の統治権を、法とのかかわりにおいて、法を作る権力としての立法権、法を執行する権力としての行政権、法を解釈・適用する権力としての司法権、の3つに分割するものです。そしてもう1つは地方自治あるいは連邦制といわれるもので、統治権を国の中央機関と地域の組織・機関に分割するものです（もちろん国内の地理的空間の分割といっても地方自治と連邦制ではその制度の内容がまったく異なりますが、ここでは2つの制度があるということを指摘するにとどめます）。

　しかし、このように最高の力を分割しても、まだそれだけでは十分

ではありません。権力を分割しても、それぞれが行使する力は（限定されてはいるものの）国内において最高のものであることにかわりはなく、そうであれば限定された最高の力をもつ者の数が増えただけになってしまいかねないからです。そこで、分割された力をもつ者は、相互に牽制し合うことによって、また、相互に分割された統治権の行使を監視し合うことによって、互いの行きすぎをチェックすることが重要になります。権力分立の原理が、権限分割と抑制・均衡の2つの要請を含むといわれるのは、このように最高の力である「国家」の統治権の脅威を緩和することと密接に関係しているのです。

| 人々の自由と平等のために |

「国家」の統治権が脅威となるのは、その権力行使が国民にとって逆らえない最高の物理的力を背景に行使されるからです。だれもが逆らえない最高の力は、たしかに秩序維持や公共の安全の確保のために必要であることは否定できません。しかし、フランス革命後の混乱期、ロベスピエールによって国王に向けられたギロチンの刃を国民に向けることで恐怖政治がくり広げられたことからもわかるとおり、国家の統治権が1か所に集中すれば、その暴走をとめることはとても難しくなります。そこですでにみたように、権力分立という考えが必要とされるのです。

では、なぜ権力分立というしくみを用いて脅威を抑制しなければならない「国家権力」が必要とされるのでしょうか。いいかえれば、なぜ脅威を感じながらも秩序維持や公共の安全の確保のための力をわれわれは必要としているのでしょうか。これについて非常に簡単にいえば、われわれが社会生活を送っていくうえで、それが必要だからだということになります。そして、もともと生まれたときには自由で平等な個々人が、よりよい生活を送るために社会を形成し、社会の構成メ

ンバーとしての個々人が秩序維持や公共の安全の確保を必要とするのですから、そのための力は、本来個々人がもつはずの自由や平等を保障するものでなければならず、個々人に脅威を与えるものであってはならないと考えられるようになったのです。こうして、個人の人権保障のために、権力分立原理のもとで「国家」の統治組織を形成するという近代立憲主義の内容が提示されます。

人権保障と権力分立

「権利の保障が確保されず、権力の分立が定められていないすべての社会は、憲法をもたない」（フランス人権宣言16条）という近代立憲主義の考え方から、統治権を行使する立場にある者が「憲法」をまもらなければならない、いいかえると、「憲法」が統治権を拘束すると考えられるようになります。そのために、統治権の約束事である「憲法」は、だれにでもわかるかたちで存在しなければならず、成文憲法典（文書化された憲法）の形式で定められるようになったのです。そして、最高の力であったとしても「国家」の統治権は、国民の人権を侵害してはならず、権力分立原理のもとで限定され、憲法典によって付与された範囲内でのみ行使できることになるのです。

以上のことから、現在では、立憲主義という考え方は、「国家権力」をしばるという内容のものになります。成文化された「憲法典」は、国民の基本的人権を保障し、同時にその人権の主体である国民に政治的権力（これが「国家」の統治権のいいかえです）の源（みなもと）としての立場を承認することになります。このように、「憲法」は、「国家」の統治権にかんする約束事、すなわち「国の最高のきまり」として、統治権を行使する者（これが一般には国会議員や大臣、裁判官をはじめとする公務員といわれる者）がまもるべき法として制定され、存在することになります。

もう一歩

近代立憲主義の母国であるイギリスには成文憲法典がありませんが，人権保障や権力分立がないわけではありません。名誉革命の成果を法典化した1689年の権利章典をはじめ憲法的内容をもつ法典はいろいろ存在しています。イギリスと日本やヨーロッパ大陸諸国との形式上のちがいがなぜ生じたのかを考えるのも，おもしろいかもしれません。

Coffee Break ⑬

主権とは？

たとえば，「主権国家」とか「国民主権」というように，「主権」という言葉をしばしば耳にされることがあると思います。これは，英語のsovereigntyを訳したものですが，そこには主に3つの意味が込められています。1つは，国家の統治権そのものを指します。2番めは，その統治権が国内的には最高で対外的には独立しているという，統治権の性格を指します。そして3番めに，よく使われる国民主権・君主主権のように，国家の統治権の最終的な正当性の所在（最終的な決定権がだれにあるかということ）を指す言葉として使われます。

日本国憲法では，第1の意味として「国権」（9条1項，41条）という言葉が使われていますが，前文第3段の「自国の主権を維持し」という文章では第2の意味で用いられています。そして第3の意味では，国民主権として前文第1段や1条で用いられています。このように，「主権」という言葉は，実際の憲法においても複数の意味で用いられていることを認識しておく必要があります。

（井上　典之）

43 国の最高のきまり
―― 憲法規範の特質

　文書化されて特別の成文化された法典として「憲法」が現れるようになると，それはもはや慣習といった目に見えない事実上の規範(判断や評価，行為などの，基準となるべきルール)としてではなく，法規範として一定の特質が付与されることになります。そこで，成文化された憲法典にはどのような規範としての特性があるのかを確認しておかなければなりません。その出発点となるのが，国の「最高のきまり」という「憲法」の特質です。

| 「国家」といわばウラオモテの関係であることから「最高」になる |

　「憲法」が「国家」とウラオモテの関係であるということは，一定の地理的空間内での最高の力である「国家」の統治権を見えるようにするということを意味します。そのために，一定の地理的空間での最高で独立した統治権，すなわち「国家権力」そのものについての約束事としての「憲法」は，必ずその空間内での最高のルールとして存在することになります。そして，「憲法」は，時代や場所を問わずあらゆる「国家」の存在とコインのウラとオモテのような関係で存在する約束事であることから，法典化されているかどうかにかかわらず，それがいつ，いかなるところでも最高のルールであるという点にかわりはありません。

　近代立憲主義のもとで「憲法」に一定の内容上の限定が付けられる場合もあります。しかし，そのような限定があるなしにかかわらず，「国家」の存在を目に見えるようにする「憲法」は，それが最高・独

立の「国家権力」の基本的なあり方を決めているという点で，常に「最高のきまり」としての特性を備えることになります。1890（明治23）年の明治憲法や1947（昭和22）年の日本国憲法だけが，日本という「国」における「最高のきまり」になっていたわけではありません。もしそのような文書化された憲法典がない時代にも日本という「国家」が存在していたとするならば（そして，それは存在していたはずですが），その統治権を人々に認識させるための「最高のきまり」としての「憲法」はあったということができます。水戸のご老公の印籠（いんろう）が人々をひれ伏せさせる効力をもつとの約束事は，まさにそのような「最高のきまり」が存在していたことを裏づけるのです。

文書化された「憲法」は変えにくい

しかし，近代立憲主義のもとでの「憲法」は，たんなる約束事としてではなく，統治権をもつ者にそれをまもらせるための文書化された法典になるという特徴があることはすでにみました（☞ *41*, *42*）。そして，通常の場合，「最高のきまり」，すなわち「最高法規」としての特性は，この成文化された憲法典について語られるようになります。

成文化された憲法典の法としての特性の出発点は，「憲法」によって「国家権力」を付与された機関が「憲法」を勝手に変更できないようにしておくことです。ある人物による統治権の行使が正当とされるのは，「憲法」に定められた方法で彼（彼女）らが「権力」保持者とされ，「憲法」の定める方法で彼（彼女）らが統治権を行使しているからです。さらに，「憲法」によって統治権が目に見えるようなかたちで発動されるとすれば，統治権そのものも法典となった「憲法」によって作り出されているといっても過言ではありません。とすると，統治権を行使する者の「権力」そのものも，「憲法」にもとづくことになります。

そこで，統治権を行使する者の「権力」およびその行為を根拠づける「憲法」の内容が彼（彼女）らによって勝手に変更されるならば，「憲法」は彼（彼女）らの行為をもはや制限することはできません。それは，泥棒に金庫の鍵を渡していつでも自由に開け閉めすることを許していたら，金庫の中身は常に危険にさらされることと同じです。そこで，「憲法」の改正は特別の手続によらなければならないと考えられるようになりました。日本国憲法でも，通常の法律改正手続よりも厳しい要件を憲法改正手続として定めています（このような憲法を「硬性憲法」といいます）。成文化され，法典となった「憲法」の意義は，まずそれが「硬性憲法」として存在する点に表れます。つまり，成文憲法典の改正を困難にしなければならないのは，「憲法」によって「国家」の統治権を根拠づけると同時に，その行使を制限するために必要とされるからです。

文書化された内容は「最高」のものである

「憲法」は，成文化されるかどうかにかかわらず，それが一定の地理的空間内での最高の「国家権力」についての約束事であるという点で，最高の内容を定めていることはすでに述べたとおりです。これは，「憲法」の定めている内容が，一定の地理的空間内でのもっとも根本的で基本的な統治権の行使にかかわることに着目した「最高のきまり」としての意味です。そして，このような「憲法」の法的ルールとしての内容上の最高性は，「実質的最高法規性」とよばれます。

しかし，近代立憲主義という考えにとって，この法的ルールとしての内容上の最高性，つまり「実質的最高法規性」は，必ずしも「憲法」が「国家」の統治権にかんしてその根本的で基本的な組織・作用を定めているという点にだけ表れるわけではありません。むしろ，「憲法」が成文化された「硬性憲法」として存在するのは，ほかの成

文法，とくに憲法によって設けられた立法機関，日本国憲法の場合には国会によって制定される「法律」とは異なるという点に，その最高法規としての本質が求められなければなりません。そして，「憲法」がそれら立法権をも含めたあらゆる「国家権力」の行使を制限できるのは，それが人間の自由・権利を不可侵のものとして保障する法的ルールを中心に，その保障を現実のものとするためのシステムを作り上げているからなのです。日本国憲法が第 10 章「最高法規」の冒頭の 97 条において，基本的人権を「侵すことのできない永久の権利」として規定しているのは，日本国憲法が国の「最高のきまり」となる実質的根拠をこの人権保障に求め，それを確認しているということができます。「最高のきまり」の本質は，まさに侵すことのできない人間の権利，つまり基本的人権を保障しているという点に求められるのです。

いちばん強いきまりとしての憲法典

憲法典の定める内容が最高のものであることが確認できても，それだけでは「憲法」が本当の「最高のきまり」になったとはいえません。いかに内容が最高であっても，その最高性をまもるための力が「憲法」そのものに備わっていなければ，別の内容に取りかえられてしまうおそれがあります。それは，単純に成文憲法典の改正を困難にした「硬性憲法」であるというだけで安心できるものではありません。なぜなら，憲法の内容の変更を困難にしても，別の法によって憲法の内容が変更されてしまう可能性は否定できないからです。

そこで，憲法典は，国内の法全体のなかでもっとも強い形式的効力をもつものとされます。「憲法」を「最高のきまり」とするための総仕上げは，通常の法律よりも高められた効力を「憲法」に与えることによって完成することになります。日本国憲法も 98 条 1 項が，「この

憲法は，国の最高法規であつて，その条規に反する法律，命令，詔勅及び国務に関するその他の行為の全部又は一部は，その効力を有しない」と定め，憲法の定める内容に反するあらゆる統治権の行使は無効になるとして，「憲法」がもっとも強い効力をもつこと，つまり，その「形式的最高法規性」を確認しています。ここに，「憲法」は，「国の最高のきまり」として，国内におけるほかのあらゆる「法律」などに優位する効力をもち，それに反する「法律」などの効力を否定する力を発揮することになります。憲法典は，国内の法全体の頂点に位置づけられ，「法律」などの制定は憲法によって許された範囲内で行われるとともにそれらの内容を制限することになるのです。

権限を授けることは制限することでもある

「憲法」は，「国家」の統治権を目に見えるようにするために，統治権を行使する国家機関を定め，それに一定の権限を授け（これを「授権」といいます），その行使の方法を定めています。「憲法」は，この「授権規範」としての特性が重要と考えられたのですが，近代立憲主義のもとでは，むしろ「国家権力」の制限が重要な課題となるために，「授権規範」の裏側ともいえる「制限規範」としての側面が重視されるようになります。すなわち，権限を授けるということは，同時に授権されたもの以外の権限は行使しえない，つまり制限があるということです。この点は，「憲法」が統治組織を定める場合だけでなく，とくに現代国家においては人権を定める場合についても妥当します。人権を尊重するということは，人権とされる自由・権利を侵害してはならないという「制限規範」としての側面と，それらの自由・権利を実効的に保障するように一定の行為をとるよう国家機関に授権されている「授権規範」としての側面の両方があるといえます。

もう一歩

「国の最高のきまり」としての憲法典の特質をまもることを「憲法保障」という用語で示すことがあります。そして、この「憲法保障」には、「硬性憲法」としてだけではなく、違憲審査制（☞ *39*）も重要なものとして位置づけられます。

なお、この「国の最高のきまり」としての3つの特質、つまり、硬性憲法、きまりの内容の最高性、そして、効力の最高性は、憲法規範の条文にその順番で表れます。その点を、日本国憲法において確認することも重要です。

44 憲法を変えるとは？
──憲法の改正

　日本国憲法は，1947（昭和22）年に施行されて以来，まだ一度も改正されたことがありません。しかし，それを改正してはならないと禁止されているわけでもありません。憲法の改正は難しい，だからもう少し簡単に改正できるようにしようという意見もあります。それでは，簡単に変えることができるようにするのがよいのでしょうか。なぜ改正が難しいのかを含めて，憲法を変えるということはどのような意味をもつのかを考えてみましょう。

簡単には変えられない！

　文書化された憲法は，通常の場合，「硬性憲法」（☞ 43）としてその改正は難しくなっています。そのために，憲法は，衆参各議院の総議員の3分の2以上の賛成による国会の発議の後，国民の承認を経てはじめて改正されることになります（96条1項）。法律の制定・改廃（改正と廃止）が，国会の両議院での可決（59条）により成立することと比べると，憲法改正は，それとは異なる手続が規定され，法律の場合よりも内容を変えることが難しくなっています。なお，法律の制定・改廃の場合，国会での議事の可決は，原則として出席議員の過半数でよく，また議事をひらき議決するための定足数（☞ 33）は，各議院の総議員の3分の1以上であればよい（56条）という点でも憲法の改正手続とは異なり，かなり簡単になっています。

　この点と関連して，法律制定・改廃手続とは別に，憲法改正のための「日本国憲法の改正手続に関する法律」（通常，「国民投票法」とよば

れています）が特別に制定されています。そこでは，国民の承認のための国民投票は，国会が憲法改正を発議した日から起算して60日以後180日以内において国会の議決した期日に行うこと（同法2条1項）とされ，日本国民で年齢満18歳以上の者が国民投票の投票権をもつ（同法3条）としています。また投票は，憲法改正案ごとに1人1票とされ（同法47条），国民投票で改正案にたいする賛成票が投票総数（同法98条2項では改正案にたいする賛成票数と反対票数を合計した票数が投票総数とされ，ここには無効票数は算入されていません）の2分の1を超えた場合は，その改正について国民の承認があったものとされます（同法126条1項）。

さらに，国会議員が法律案を含めて議案を発議するには，衆議院においては議員20人以上，参議院においては議員10人以上の賛成を要する（ただし，予算をともなう法律案の発議には衆議院議員50人以上，参議院議員20人以上の賛成を要する）とされている（国会法56条1項）のにたいして，「憲法改正原案」を発議するには，衆議院議員100人以上，参議院議員50人以上の賛成を要する（国会法68条の2）ものとされ，この点でも憲法改正は簡単ではないものとなっています。

| なぜ改正は難しいのか？ |

改正が難しいのは，前にみたように（☞ *43*），日本国憲法のような成文憲法典が「国家」の統治権，すなわち一定の地理的領域のなかでだれも逆らうことができないもっとも強い「国家権力」の所在やその行使のあり方を定める「国の最高のきまり」であるからです。もちろん，「国家権力」が想定外のさまざまな問題にすばやく対処できるようにするために，簡単に改正できるようにしておくことも考えられないわけではありません。しかし，「国の最高のきまり」は，「国家」の本質的要素と考えられる統治権を形作るものであり，まさに「国家」

の存在を規定するものになります。そのため，憲法をいつでも好きなように変更できるとすれば，それは「国家」の存在それ自体が簡単に変更されてしまうということを意味します。憲法改正は，たとえそれを試しにやってみるとしても，「国家」の存在を一定の範囲で変えることになってしまうということを覚えておかなければなりません。

さらに，近代立憲主義は，国内において最高で対外的に独立するという特性をもつ「国家権力」の行使を成文憲法典によって制限することを求めます。というのも，そのような権力を行使される立場からみれば，「国家権力」の行使はもっとも恐ろしい，脅威に感じられるものとなり，歴史的にみてもその暴走をだれもとめることができなくなるからです。だれもが逆らえない「国家権力」を行使する立場にある者が簡単に憲法を変更できるとすれば，自分の都合のよいようにその内容を書きかえて，権力行使を容易にするようになってしまいます。ですから，憲法は，自らが権力を付与した者に一定の足かせをはめ，簡単にはそれをはずせないようにしているのです。

| 変えることが難しいのは憲法自身が自分をまもるため |

憲法を改正するのが難しいのは，憲法自身が自らをまもるためでもあります。「法律」は憲法の範囲内で，憲法の定める機関によって制定されます（日本国憲法の場合，「国の唯一の立法機関」（41条）である国会によって制定されます）。「命令」は法律の範囲内で行政機関によって制定されます。法律あるいは命令で憲法の内容を簡単に変えてしまうことができれば，それは，憲法自らが権力を与えた機関（国会や内閣，行政機関）がその内容をまもっていないことになります。

ただし，憲法の内容が決して変更できないものであるとすれば，それは社会情勢の変化に対応できず，だれにも見向きもされず無視されてしまい，憲法自身が自らの首を絞める結果となってしまいます。そ

のようなことにならないためにも，改正によってその内容が変更されることが必要になる場合があることはいうまでもありません。そこで，必要に応じて内容の変更を可能にしつつ，その変更は通常の法律などとは異なる方法にすることで，立憲主義のもとでの憲法は，自らが与えた権力をしばりつつ，自らの存在を維持していこうとするのです。

改正手続によればどのような変更も可能か？

変更するのは難しいけれども，憲法の内容を変更することがまったく否定されているわけではありません。前記の方法によれば，憲法を変えることは可能です。しかし，どのような変更でも認められるのかについては，しばしば議論が展開されます。

一般に，憲法改正とは，たんに改正手続にしたがった憲法の内容の変更を指すのではなく，改正の前後を通じてその同一性・連続性が認められるものでなければならないといわれます。つまり，憲法を支える基本原理の変更は，もはや改正ではなく，法的な意味での「革命」だとされるわけです。「革命」といっても，それは時の権力者に抵抗して新たな支配を確立するために，旧支配者を排除し，新たな支配者の決定に反対する者をギロチンにかけるといった恐ろしいものではありません。あくまでも法的な意味での「革命」，つまり，物理的な暴力による革命ではなく，法的な内容面において「革命」があったというような意味で理解されています。改正前後で憲法の内容に同一性・連続性が認められないならば，それは「改正」ではなく，新しい「国家」の統治権が確立されたことを意味すると解されるのです。

これは，憲法「改正」という概念を改正の前後で同一性・連続性が認められるものに限定し，それを超える変更を法的な意味での「革命」とよぼうという見解です。たとえば，明治憲法から日本国憲法への変更は，たしかに前者の改正手続によって後者が制定されています

から，日本国憲法が形式上は明治憲法の改正法として成立しているということになります。しかし，両者の根本にある基本原理はまったく異なっており，両者に同一性・連続性は認められません。そこで，日本国憲法の制定について，ポツダム宣言受諾により明治憲法の基本原理が変更されたとして，1945年の段階で法的な意味での「革命」があったとする「8月革命」説がとなえられることになります。

改正手続を変えても大丈夫？

他国の憲法，たとえば日本と同じように第二次世界大戦で敗戦国になったドイツの憲法典（正式名称は「ドイツ連邦共和国基本法」といいます）は，日本国憲法とほぼ同じ時期（1949年）に制定されていながら，すでに数十回も修正が加えられています。もちろん，ドイツの憲法典も通常の法律制定とは異なる難しい手続によって改正される硬性憲法（☞ 43）です。しかも，改正できない規定を定める改正禁止条項も，含まれています。ただし，そこには憲法典を改正するための条文（いわゆる改正規定）の変更を禁止する文言は含まれていません。

日本国憲法が一度も改正されていないのは改正手続が厳しすぎるからだとして，改正規定そのものを改正して，もう少し簡単に改正できるようにしようという意見があります。しかし，憲法改正のための手続は，それ自体が憲法によって定められた憲法改正権という権限の行使になるとすれば，その権限も憲法の定める方法にもとづいてのみ行使できると限定づけられていることになります。したがって，その権限行使によって自らの改正手続の内容を変更することができないと考えることが可能になります。その場合，改正手続の改正は，もはや憲法の「改正」ではなく，やはり法的な意味での一種の「革命」だとされることになります。

もう一歩

　憲法の内容を変える方法には，改正だけでなく，条文の変更をともなわないでその条文の意味の変化をもたらす方法もあります。たとえば，憲法改正が難しいために，憲法の条文の解釈を変更することによって憲法の内容を変えてしまうというような方法です。それは，一般に「憲法の変遷」(解釈改憲ともいわれます) とよばれていますが，これを簡単に認めることができるかどうかも，「国の最高のきまり」としての憲法の特質から考えてみる必要があるといえます。

45 平和な社会に憲法が活きる
―― 平和主義と平和的生存権

　人類の歴史は戦争の歴史といっても過言ではありません。日本の歴史をみても，大化の改新後の白村江の戦いから鎌倉時代の元寇，明治時代の日清・日露戦争や，その後の第一次・第二次世界大戦と，国どうしの戦いは数えきれないぐらいです。世界史になればほぼすべての歴史的事象は戦争にはじまり戦争に終わるといえます。しかし，20世紀の後半には，その反省から，平和の重要性や，人類繁栄の基礎としての戦争の絶対的禁止が叫ばれるようになります。

平和でなければはじまらない！

　戦争は，兵隊だけが行うものではありません。その影響は，広く一般市民にも及ぶものであることはいうまでもないところです。もちろん，家族や知り合いが兵隊にとられるという場合もありますが，それだけにとどまらず，戦争になるとわれわれの生活そのものが危険にさらされることになります。戦争によってもっとも被害を受けるのは，テレビ・ドラマや映画を見るまでもなく，われわれ一般市民です。

　そうだとすれば，近代立憲主義の根本的な目標である個人の自由・平等という基本的人権の保障は，戦争のない状態でないと意味をもたないことになります。そして，戦争のない状態，それが平和であるとすれば，まさにわれわれの生命や自由，財産は，世の中が平和であってはじめて保障されるといえるのです。いつ銃弾やミサイルが飛んでくるかわからないような状態では，そもそも自由や財産，さらには生命をまもることなどできません。その意味で，戦争の悲惨さを認識し，

平和の重要性を確認することは，まさにすべての出発点になるということができるのです。

| 国際社会での戦争の違法化 |

「戦争をしない」という宣言は，20世紀の2つの悲惨な世界大戦を経験した後にはじめて登場したわけではありません。憲法で戦争の放棄を定めたのは，フランス革命後の1791年のフランス憲法でもみられます。そこでは，これまでのヨーロッパ大陸での国家の領土拡大を目指す征服・侵略戦争を放棄しています。しかし，憲法での戦争放棄の宣言にもかかわらず，フランス革命に対抗して結ばれた対仏大同盟側の諸国とフランスとの戦争が，ナポレオンの時代を通じてさらに展開されることは歴史的事実としてすでにご存じだと思います。このことからもわかるとおり，戦争をなくし，平和な社会をつくることは国内問題としてではなく，国際社会との協調を必要とする問題になるのです。

そこで，20世紀に入り，第一次世界大戦後の国際連盟や1928年のパリ不戦条約（戦争抛棄ニ関スル条約）などでは，国際社会において戦争の廃絶へと向かう世界的な努力がはじまります。そこでは，多くの場合，戦争のはじまりが他国への侵略にあるとして，侵略戦争を違法行為として法的に禁止する方法がとられました。すなわち，他国への侵略を違法として禁止すれば戦争は起きないだろうとの前提から，違法な戦争をなくそうとする国際社会の取り決めが行われたのです。ただし，パリ不戦条約において定められたのは，「国際紛争解決のための戦争」の否定と「国家の政策の手段としての戦争」の放棄の宣言であり，すべての戦争が禁止・放棄されたわけではありませんでした。そして，「侵略」の定義があいまいなうえに，侵略に対抗する自衛のための戦争は禁止されていないとの考えも，この時期に展開されるよ

うになります。

国際社会での集団的安全保障体制

　20世紀以降の戦争をなくすための努力は、たしかに19世紀までの無差別戦争観（国際法上の主体である主権国家は相互に対等であり、自国保持のための戦争をする権利・自由をもつとの考え方）を否定し、侵略戦争違法化によりなんでも「勝てば官軍」的発想を国際法上否定する考えを提示することになります。そして、この違法な戦争をなくすための国際法上のシステムの構築が必要とされ、第二次世界大戦後の国際連合憲章でそれが定められていくことになります。

　国際連合憲章1条では、国際連合の目的の1つとして「国際平和・安全の維持」（同条1項）がかかげられています。そしてそこでは、武力による威嚇・武力の行使が禁止され、平和破壊行為・侵略行為の存在が安全保障理事会で認定されれば、必要に応じて非軍事的措置・軍事的措置でこれを排除する体制が整備されたのです。このような一国による平和のための努力ではなく、世界的な規模で国家の集合体を組織し、まず紛争を平和的に解決する努力を行い、次に軍隊等の暴力手段を発動した国家にたいしてほかの国家が集団となって強制措置を行うことにより、侵略を阻止して国際的な安全を確保する国際的な体制を、「集団的安全保障体制」といいます。

平和主義という考え方

　戦争をなくして平和の確立を目指し、国家間の紛争解決手段として軍事力を用いずに国際社会の平和を構築しようとする考え方を「平和主義」といいます。古くは宗教戦争や領土拡大戦争の経験から、18世紀のドイツの哲学者カントの『永遠平和のために』と題する書物のなかで、国際法秩序にもとづく世界共同体の構築により国際社会の平

和の実現が語られたこともあります。第一次世界大戦後の国際連盟はその具体化の側面もありましたが，その失敗と挫折により，現在の国際連合が普遍的な国際機構として創設され，そのもとでの国際社会における平和の確立が期待されています。

　もちろん侵略戦争を違法とし，そのことから国際平和の構築を目指す考え方も平和主義の1つではあります。しかし，平和主義という考え方については，国家をあげての総力戦となる近代戦争，とくに核兵器の利用による悲惨さを目のあたりにした第二次世界大戦後，戦争それ自体を絶対になくしていくための試みが重要な政治的課題として検討されるようになり，日本国憲法は，その実現を明文で宣言することになりました。すなわち，日本国民は，「政府の行為によつて再び戦争の惨禍がおこることのないやうにすることを決意」（前文第1段）して日本国憲法を確定したのです。日本国民は，「恒久の平和を念願し，人間相互の関係を支配する崇高な理想を深く自覚するのであつて，平和を愛する諸国民の公正と信義に信頼して，われらの安全と生存を保持しようと決意」すると同時に，「平和を維持し，専制と隷従，圧迫と偏狭を地上から永遠に除去しようと努めてゐる国際社会において，名誉ある地位を占めたいと思ふ」（前文第2段）と，日本国内にたいしてだけでなく世界に向けて宣言したのです。

　日本国憲法は，この平和主義という考えを，「正義と秩序を基調とする国際平和を誠実に希求」して戦争を放棄（9条1項）し，「陸海空軍その他の戦力」の不保持と「国の交戦権」の否認（同条2項）という方法で実現しようとしています。そしてそれと同時に，「全世界の国民が，ひとしく恐怖と欠乏から免かれ，平和のうちに生存する権利を有することを確認」（前文第2段）して，国際社会での平和の実現に日本が貢献することも宣言しています。そこには，日本国内だけが平和であることでよしとするのではなく，平和は国際社会で実現される

べき課題であることが確認されています。すなわち、「いづれの国家も、自国のことのみに専念して他国を無視してはならないのであつて」、この普遍的な政治道徳の法則にしたがうことが「自国の主権を維持し、他国と対等関係に立たうとする各国の責務であると信ずる」（前文第3段）という立場を鮮明にしているということです。

| 平和の実現に向けて |

　平和は、日本だけで実現できるわけではありません。人間の生命や自由、財産は、戦争のない平和な国際社会のなかではじめて実現できるのです。近代立憲主義が生まれながらの人間の権利としての基本的人権の保障を主な目的にしているとすれば、まさに平和の実現こそが近代立憲主義の前提になるのです。問題は、それをどのように実現することができるのかという方法についての考え方になります。

　日本国憲法が採用する恒久平和主義とその実現手段としての戦争放棄、戦力の不保持、交戦権の否認というのも1つの方法です。しかし、その方法は、国際社会での国際連合を中心にする集団的安全保障体制のもとでどのように具体化すればいいのかという問題を含んでいます（たとえば、自衛隊やさまざまな有事法制の存在を憲法のもとでどのように考えるのかという点です）。現実の国際社会と地球上のどこにも暴力がないという理想とのあいだで、何が憲法上許される平和実現の具体的方法なのかは、われわれ国民がそれこそ常に考えておかなければならない課題となっています。というのも、有事においてもっとも大きな被害をこうむる可能性があるのは、われわれ1人ひとりの国民だからです。

もう一歩

　日本国憲法の平和主義については、本文でも示したとおり、有事法

制や日米安保条約，自衛隊の存在と憲法の関係が問題となります。それは9条の解釈内容と大きくかかわるとともに，立憲主義という思想と関連して重大な問題を提起することがあります。

　さらに，欧州連合（EU）のような地域的な超国家的連合体の存在も，平和構築の1つの方法として検討することができます。

　なお，本文でも取り上げた日本国憲法前文第2段の全世界の国民が有する「平和のうちに生存する権利」（これは「平和的生存権」ともいわれています」）という考えは，2015年9月の国際連合サミットで加盟国の全会一致で採択された「持続可能な開発のための2030アジェンダ」に記載された2030年までの国際目標（いわゆるSDGs）の16番目の目標として掲げられている「平和と公正をすべての人に」と相通じるものがあります。SDGsを日本においても実現することは，まさにその1つの目標となる平和的生存権の実現にもつながるといえます。

日本国憲法（1946年11月3日公布）

　日本国民は，正当に選挙された国会における代表者を通じて行動し，われらとわれらの子孫のために，諸国民との協和による成果と，わが国全土にわたつて自由のもたらす恵沢を確保し，政府の行為によつて再び戦争の惨禍が起ることのないやうにすることを決意し，ここに主権が国民に存することを宣言し，この憲法を確定する。そもそも国政は，国民の厳粛な信託によるものであつて，その権威は国民に由来し，その権力は国民の代表者がこれを行使し，その福利は国民がこれを享受する。これは人類普遍の原理であり，この憲法は，かかる原理に基くものである。われらは，これに反する一切の憲法，法令及び詔勅を排除する。

　日本国民は，恒久の平和を念願し，人間相互の関係を支配する崇高な理想を深く自覚するのであつて，平和を愛する諸国民の公正と信義に信頼して，われらの安全と生存を保持しようと決意した。われらは，平和を維持し，専制と隷従，圧迫と偏狭を地上から永遠に除去しようと努めてゐる国際社会において，名誉ある地位を占めたいと思ふ。われらは，全世界の国民が，ひとしく恐怖と欠乏から免かれ，平和のうちに生存する権利を有することを確認する。

　われらは，いづれの国家も，自国のことのみに専念して他国を無視してはならないのであつて，政治道徳の法則は，普遍的なものであり，この法則に従ふことは，自国の主権を維持し，他国と対等関係に立たうとする各国の責務であると信ずる。

　日本国民は，国家の名誉にかけ，全力をあげてこの崇高な理想と目的を達成することを誓ふ。

第1章　天　　皇

第1条【天皇の地位・国民主権】　天皇は，日本国の象徴であり日本国民統合の象徴であつて，この地位は，主権の存する日本国民の総意に基く。

第2条【皇位の継承】　皇位は，世襲のものであつて，国会の議決した皇室典範の定めるところにより，これを継承する。

第3条【天皇の国事行為に対する内閣の助言と承認】　天皇の国事に関するすべての行為には，内閣の助言と承認を必要とし，内閣が，その責任を負ふ。

第4条【天皇の権能の限界，天皇の国事行為の委任】　① 　天皇は，この憲法の定める国事に関する行為のみを行ひ，国政に関する権能を有しない。

② 　天皇は，法律の定めるところにより，その国事に関する行為を委任することができる。

第5条【摂政】　皇室典範の定めるところにより摂政を置くときは，摂政は，天皇の名でその国事に関する行為を行ふ。この場合には，前条第1項の規定を準用する。

第6条【天皇の任命権】　① 　天皇は，国会の指名に基いて，内閣総理大臣を任命する。

② 　天皇は，内閣の指名に基いて，最高裁判所の長たる裁判官を任命する。

第 7 条【天皇の国事行為】 天皇は，内閣の助言と承認により，国民のために，左の国事に関する行為を行ふ。
一　憲法改正，法律，政令及び条約を公布すること。
二　国会を召集すること。
三　衆議院を解散すること。
四　国会議員の総選挙の施行を公示すること。
五　国務大臣及び法律の定めるその他の官吏の任免並びに全権委任状及び大使及び公使の信任状を認証すること。
六　大赦，特赦，減刑，刑の執行の免除及び復権を認証すること。
七　栄典を授与すること。
八　批准書及び法律の定めるその他の外交文書を認証すること。
九　外国の大使及び公使を接受すること。
十　儀式を行ふこと。

第 8 条【皇室の財産授受】 皇室に財産を譲り渡し，又は皇室が，財産を譲り受け，若しくは賜与することは，国会の議決に基かなければならない。

第 2 章　戦争の放棄

第 9 条【戦争の放棄，戦力及び交戦権の否認】 ①　日本国民は，正義と秩序を基調とする国際平和を誠実に希求し，国権の発動たる戦争と，武力による威嚇又は武力の行使は，国際紛争を解決する手段としては，永久にこれを放棄する。
②　前項の目的を達するため，陸海空軍その他の戦力は，これを保持しない。国の交戦権は，これを認めない。

第 3 章　国民の権利及び義務

第 10 条【国民の要件】 日本国民たる要件は，法律でこれを定める。

第 11 条【基本的人権の享有】 国民は，すべての基本的人権の享有を妨げられない。この憲法が国民に保障する基本的人権は，侵すことのできない永久の権利として，現在及び将来の国民に与へられる。

第 12 条【自由・権利の保持の責任とその濫用の禁止】 この憲法が国民に保障する自由及び権利は，国民の不断の努力によつて，これを保持しなければならない。又，国民は，これを濫用してはならないのであつて，常に公共の福祉のためにこれを利用する責任を負ふ。

第 13 条【個人の尊重・幸福追求権・公共の福祉】 すべて国民は，個人として尊重される。生命，自由及び幸福追求に対する国民の権利については，公共の福祉に反しない限り，立法その他の国政の上で，最大の尊重を必要とする。

第 14 条【法の下の平等，貴族の禁止，栄典】 ①　すべて国民は，法の下に平等であつて，人種，信条，性別，社会的身分又は門地により，政治的，経済的又は社会的関係において，差別されない。

② 華族その他の貴族の制度は，これを認めない。
③ 栄誉，勲章その他の栄典の授与は，いかなる特権も伴はない。栄典の授与は，現にこれを有し，又は将来これを受ける者の一代に限り，その効力を有する。

第15条【公務員選定罷免権，公務員の本質，普通選挙の保障，秘密投票の保障】① 公務員を選定し，及びこれを罷免することは，国民固有の権利である。
② すべて公務員は，全体の奉仕者であつて，一部の奉仕者ではない。
③ 公務員の選挙については，成年者による普通選挙を保障する。
④ すべて選挙における投票の秘密は，これを侵してはならない。選挙人は，その選択に関し公的にも私的にも責任を問はれない。

第16条【請願権】 何人も，損害の救済，公務員の罷免，法律，命令又は規則の制定，廃止又は改正その他の事項に関し，平穏に請願する権利を有し，何人も，かかる請願をしたためにいかなる差別待遇も受けない。

第17条【国及び公共団体の賠償責任】 何人も，公務員の不法行為により，損害を受けたときは，法律の定めるところにより，国又は公共団体に，その賠償を求めることができる。

第18条【奴隷的拘束及び苦役からの自由】 何人も，いかなる奴隷的拘束も受けない。又，犯罪に因る処罰の場合を除いては，その意に反する苦役に服させられない。

第19条【思想及び良心の自由】 思想及び良心の自由は，これを侵してはならない。

第20条【信教の自由】① 信教の自由は，何人に対してもこれを保障する。いかなる宗教団体も，国から特権を受け，又は政治上の権力を行使してはならない。
② 何人も，宗教上の行為，祝典，儀式又は行事に参加することを強制されない。
③ 国及びその機関は，宗教教育その他いかなる宗教的活動もしてはならない。

第21条【集会・結社・表現の自由，通信の秘密】① 集会，結社及び言論，出版その他一切の表現の自由は，これを保障する。
② 検閲は，これをしてはならない。通信の秘密は，これを侵してはならない。

第22条【居住・移転及び職業選択の自由，外国移住及び国籍離脱の自由】① 何人も，公共の福祉に反しない限り，居住，移転及び職業選択の自由を有する。
② 何人も，外国に移住し，又は国籍を離脱する自由を侵されない。

第23条【学問の自由】 学問の自由は，これを保障する。

第24条【家族生活における個人の尊厳と両性の平等】① 婚姻は，両性の合意のみに基いて成立し，夫婦が同等の権利を有することを基本として，相互の協力により，維持されなければならない。
② 配偶者の選択，財産権，相続，住居の選定，離婚並びに婚姻及び家族に関するその他の事項に関しては，法律は，個人の尊厳と両性の本質的平等に立脚して，制定されなければならない。

第25条【生存権，国の社会的使命】① すべて国民は，健康で文化的な最低限度の生活を営む権利を有する。
② 国は，すべての生活部面について，社会福祉，社会保障及び公衆衛生の向上及び

増進に努めなければならない。

第26条【教育を受ける権利，教育の義務】 ① すべて国民は，法律の定めるところにより，その能力に応じて，ひとしく教育を受ける権利を有する。

② すべて国民は，法律の定めるところにより，その保護する子女に普通教育を受けさせる義務を負ふ。義務教育は，これを無償とする。

第27条【勤労の権利及び義務，勤労条件の基準，児童酷使の禁止】 ① すべて国民は，勤労の権利を有し，義務を負ふ。

② 賃金，就業時間，休息その他の勤労条件に関する基準は，法律でこれを定める。

③ 児童は，これを酷使してはならない。

第28条【勤労者の団結権】 勤労者の団結する権利及び団体交渉その他の団体行動をする権利は，これを保障する。

第29条【財産権】 ① 財産権は，これを侵してはならない。

② 財産権の内容は，公共の福祉に適合するやうに，法律でこれを定める。

③ 私有財産は，正当な補償の下に，これを公共のために用ひることができる。

第30条【納税の義務】 国民は，法律の定めるところにより，納税の義務を負ふ。

第31条【法定の手続の保障】 何人も，法律の定める手続によらなければ，その生命若しくは自由を奪はれ，又はその他の刑罰を科せられない。

第32条【裁判を受ける権利】 何人も，裁判所において裁判を受ける権利を奪はれない。

第33条【逮捕の要件】 何人も，現行犯として逮捕される場合を除いては，権限を有する司法官憲が発し，且つ理由となつてゐる犯罪を明示する令状によらなければ，逮捕されない。

第34条【抑留・拘禁の要件，不法拘禁に対する保障】 何人も，理由を直ちに告げられ，且つ，直ちに弁護人に依頼する権利を与へられなければ，抑留又は拘禁されない。又，何人も，正当な理由がなければ，拘禁されず，要求があれば，その理由は，直ちに本人及びその弁護人の出席する公開の法廷で示されなければならない。

第35条【住居の不可侵】 ① 何人も，その住居，書類及び所持品について，侵入，捜索及び押収を受けることのない権利は，第33条の場合を除いては，正当な理由に基いて発せられ，且つ捜索する場所及び押収する物を明示する令状がなければ，侵されない。

② 捜索又は押収は，権限を有する司法官憲が発する各別の令状により，これを行ふ。

第36条【拷問及び残虐刑の禁止】 公務員による拷問及び残虐な刑罰は，絶対にこれを禁ずる。

第37条【刑事被告人の権利】 ① すべて刑事事件においては，被告人は，公平な裁判所の迅速な公開裁判を受ける権利を有する。

② 刑事被告人は，すべての証人に対して審問する機会を充分に与へられ，又，公費で自己のために強制的手続により証人を求める権利を有する。

③ 刑事被告人は，いかなる場合にも，資格を有する弁護人を依頼することができる。

被告人が自らこれを依頼することができないときは、国でこれを附する。
第38条【自己に不利益な供述、自白の証拠能力】 ①　何人も、自己に不利益な供述を強要されない。
②　強制、拷問若しくは脅迫による自白又は不当に長く抑留若しくは拘禁された後の自白は、これを証拠とすることができない。
③　何人も、自己に不利益な唯一の証拠が本人の自白である場合には、有罪とされ、又は刑罰を科せられない。
第39条【遡及処罰の禁止・一事不再理】 何人も、実行の時に適法であつた行為又は既に無罪とされた行為については、刑事上の責任を問はれない。又、同一の犯罪について、重ねて刑事上の責任を問はれない。
第40条【刑事補償】 何人も、抑留又は拘禁された後、無罪の裁判を受けたときは、法律の定めるところにより、国にその補償を求めることができる。

第4章　国　　会

第41条【国会の地位・立法権】 国会は、国権の最高機関であつて、国の唯一の立法機関である。
第42条【両院制】 国会は、衆議院及び参議院の両議院でこれを構成する。
第43条【両議院の組織・代表】 ①　両議院は、全国民を代表する選挙された議員でこれを組織する。
②　両議院の議員の定数は、法律でこれを定める。
第44条【議員及選挙人の資格】 両議院の議員及びその選挙人の資格は、法律でこれを定める。但し、人種、信条、性別、社会的身分、門地、教育、財産又は収入によつて差別してはならない。
第45条【衆議院議員の任期】 衆議院議員の任期は、4年とする。但し、衆議院解散の場合には、その期間満了前に終了する。
第46条【参議院議員の任期】 参議院議員の任期は、6年とし、3年ごとに議員の半数を改選する。
第47条【選挙に関する事項】 選挙区、投票の方法その他両議院の議員の選挙に関する事項は、法律でこれを定める。
第48条【両議院議員兼職の禁止】 何人も、同時に両議院の議員たることはできない。
第49条【議員の歳費】 両議院の議員は、法律の定めるところにより、国庫から相当額の歳費を受ける。
第50条【議員の不逮捕特権】 両議院の議員は、法律の定める場合を除いては、国会の会期中逮捕されず、会期前に逮捕された議員は、その議院の要求があれば、会期中これを釈放しなければならない。
第51条【議員の発言・表決の免責】 両議院の議員は、議院で行つた演説、討論又は表決について、院外で責任を問はれない。
第52条【常会】 国会の常会は、毎年1回これを召集する。

第53条【臨時会】 内閣は，国会の臨時会の召集を決定することができる。いづれかの議院の総議員の4分の1以上の要求があれば，内閣は，その召集を決定しなければならない。

第54条【衆議院の解散・特別会，参議院の緊急集会】 ① 衆議院が解散されたときは，解散の日から40日以内に，衆議院議員の総選挙を行ひ，その選挙の日から30日以内に，国会を召集しなければならない。

② 衆議院が解散されたときは，参議院は，同時に閉会となる。但し，内閣は，国に緊急の必要があるときは，参議院の緊急集会を求めることができる。

③ 前項但書の緊急集会において採られた措置は，臨時のものであつて，次の国会開会の後10日以内に，衆議院の同意がない場合には，その効力を失ふ。

第55条【資格争訟の裁判】 両議院は，各ゝその議員の資格に関する争訟を裁判する。但し，議員の議席を失はせるには，出席議員の3分の2以上の多数による議決を必要とする。

第56条【定足数，表決】 ① 両議院は，各ゝその総議員の3分の1以上の出席がなければ，議事を開き議決することができない。

② 両議院の議事は，この憲法に特別の定のある場合を除いては，出席議員の過半数でこれを決し，可否同数のときは，議長の決するところによる。

第57条【会議の公開，会議録，表決の記載】 ① 両議院の会議は，公開とする。但し，出席議員の3分の2以上の多数で議決したときは，秘密会を開くことができる。

② 両議院は，各ゝその会議の記録を保存し，秘密会の記録の中で特に秘密を要すると認められるもの以外は，これを公表し，且つ一般に頒布しなければならない。

③ 出席議員の5分の1以上の要求があれば，各議員の表決は，これを会議録に記載しなければならない。

第58条【役員の選任，議院規則・懲罰】 ① 両議院は，各ゝその議長その他の役員を選任する。

② 両議院は，各ゝその会議その他の手続及び内部の規律に関する規則を定め，又，院内の秩序をみだした議員を懲罰することができる。但し，議員を除名するには，出席議員の3分の2以上の多数による議決を必要とする。

第59条【法律案の議決，衆議院の優越】 ① 法律案は，この憲法に特別の定のある場合を除いては，両議院で可決したとき法律となる。

② 衆議院で可決し，参議院でこれと異なつた議決をした法律案は，衆議院で出席議員の3分の2以上の多数で再び可決したときは，法律となる。

③ 前項の規定は，法律の定めるところにより，衆議院が，両議院の協議会を開くことを求めることを妨げない。

④ 参議院が，衆議院の可決した法律案を受け取つた後，国会休会中の期間を除いて60日以内に，議決しないときは，衆議院は，参議院がその法律案を否決したものとみなすことができる。

第60条【衆議院の予算先議，予算議決に関する衆議院の優越】 ① 予算は，さきに

衆議院に提出しなければならない。
② 予算について，参議院で衆議院と異なつた議決をした場合に，法律の定めるところにより，両議院の協議会を開いても意見が一致しないとき，又は参議院が，衆議院の可決した予算を受け取つた後，国会休会中の期間を除いて30日以内に，議決しないときは，衆議院の議決を国会の議決とする。

第61条【条約の承認に関する衆議院の優越】 条約の締結に必要な国会の承認については，前条第2項の規定を準用する。

第62条【議院の国政調査権】 両議院は，各ゝ国政に関する調査を行ひ，これに関して，証人の出頭及び証言並びに記録の提出を要求することができる。

第63条【閣僚の議院出席の権利と義務】 内閣総理大臣その他の国務大臣は，両議院の一に議席を有すると有しないとにかかはらず，何時でも議案について発言するため議院に出席することができる。又，答弁又は説明のため出席を求められたときは，出席しなければならない。

第64条【弾劾裁判所】 ① 国会は，罷免の訴追を受けた裁判官を裁判するため，両議院の議員で組織する弾劾裁判所を設ける。
② 弾劾に関する事項は，法律でこれを定める。

第5章　内　　閣

第65条【行政権】 行政権は，内閣に属する。

第66条【内閣の組織，国会に対する連帯責任】 ① 内閣は，法律の定めるところにより，その首長たる内閣総理大臣及びその他の国務大臣でこれを組織する。
② 内閣総理大臣その他の国務大臣は，文民でなければならない。
③ 内閣は，行政権の行使について，国会に対し連帯して責任を負ふ。

第67条【内閣総理大臣の指名，衆議院の優越】 ① 内閣総理大臣は，国会議員の中から国会の議決で，これを指名する。この指名は，他のすべての案件に先だつて，これを行ふ。
② 衆議院と参議院とが異なつた指名の議決をした場合に，法律の定めるところにより，両議院の協議会を開いても意見が一致しないとき，又は衆議院が指名の議決をした後，国会休会中の期間を除いて10日以内に，参議院が，指名の議決をしないときは，衆議院の議決を国会の議決とする。

第68条【国務大臣の任命及び罷免】 ① 内閣総理大臣は，国務大臣を任命する。但し，その過半数は，国会議員の中から選ばれなければならない。
② 内閣総理大臣は，任意に国務大臣を罷免することができる。

第69条【内閣不信任決議の効果】 内閣は，衆議院で不信任の決議案を可決し，又は信任の決議案を否決したときは，10日以内に衆議院が解散されない限り，総辞職をしなければならない。

第70条【内閣総理大臣の欠缺・新国会の召集と内閣の総辞職】 内閣総理大臣が欠けたとき，又は衆議院議員総選挙の後に初めて国会の召集があつたときは，内閣は，

総辞職をしなければならない。

第71条【総辞職後の内閣】 前2条の場合には、内閣は、あらたに内閣総理大臣が任命されるまで引き続きその職務を行ふ。

第72条【内閣総理大臣の職務】 内閣総理大臣は、内閣を代表して議案を国会に提出し、一般国務及び外交関係について国会に報告し、並びに行政各部を指揮監督する。

第73条【内閣の職務】 内閣は、他の一般行政事務の外、左の事務を行ふ。

一　法律を誠実に執行し、国務を総理すること。

二　外交関係を処理すること。

三　条約を締結すること。但し、事前に、時宜によつては事後に、国会の承認を経ることを必要とする。

四　法律の定める基準に従ひ、官吏に関する事務を掌理すること。

五　予算を作成して国会に提出すること。

六　この憲法及び法律の規定を実施するために、政令を制定すること。但し、政令には、特にその法律の委任がある場合を除いては、罰則を設けることができない。

七　大赦、特赦、減刑、刑の執行の免除及び復権を決定すること。

第74条【法律・政令の署名】 法律及び政令には、すべて主任の国務大臣が署名し、内閣総理大臣が連署することを必要とする。

第75条【国務大臣の特典】 国務大臣は、その在任中、内閣総理大臣の同意がなければ、訴追されない。但し、これがため、訴追の権利は、害されない。

第6章　司　　法

第76条【司法権・裁判所、特別裁判所の禁止、裁判官の独立】 ①　すべて司法権は、最高裁判所及び法律の定めるところにより設置する下級裁判所に属する。

②　特別裁判所は、これを設置することができない。行政機関は、終審として裁判を行ふことができない。

③　すべて裁判官は、その良心に従ひ独立してその職権を行ひ、この憲法及び法律にのみ拘束される。

第77条【最高裁判所の規則制定権】 ①　最高裁判所は、訴訟に関する手続、弁護士、裁判所の内部規律及び司法事務処理に関する事項について、規則を定める権限を有する。

②　検察官は、最高裁判所の定める規則に従はなければならない。

③　最高裁判所は、下級裁判所に関する規則を定める権限を、下級裁判所に委任することができる。

第78条【裁判官の身分の保障】 裁判官は、裁判により、心身の故障のために職務を執ることができないと決定された場合を除いては、公の弾劾によらなければ罷免されない。裁判官の懲戒処分は、行政機関がこれを行ふことはできない。

第79条【最高裁判所の裁判官、国民審査、定年、報酬】 ①　最高裁判所は、その長たる裁判官及び法律の定める員数のその他の裁判官でこれを構成し、その長たる裁

判官以外の裁判官は，内閣でこれを任命する。
② 最高裁判所の裁判官の任命は，その任命後初めて行はれる衆議院議員総選挙の際国民の審査に付し，その後10年を経過した後初めて行はれる衆議院議員総選挙の際更に審査に付し，その後も同様とする。
③ 前項の場合において，投票者の多数が裁判官の罷免を可とするときは，その裁判官は，罷免される。
④ 審査に関する事項は，法律でこれを定める。
⑤ 最高裁判所の裁判官は，法律の定める年齢に達した時に退官する。
⑥ 最高裁判所の裁判官は，すべて定期に相当額の報酬を受ける。この報酬は，在任中，これを減額することができない。

第80条【下級裁判所の裁判官・任期・定年，報酬】 ① 下級裁判所の裁判官は，最高裁判所の指名した者の名簿によつて，内閣でこれを任命する。その裁判官は，任期を10年とし，再任されることができる。但し，法律の定める年齢に達した時には退官する。
② 下級裁判所の裁判官は，すべて定期に相当額の報酬を受ける。この報酬は，在任中，これを減額することができない。

第81条【法令審査権と最高裁判所】 最高裁判所は，一切の法律，命令，規則又は処分が憲法に適合するかしないかを決定する権限を有する終審裁判所である。

第82条【裁判の公開】 ① 裁判の対審及び判決は，公開法廷でこれを行ふ。
② 裁判所が，裁判官の全員一致で，公の秩序又は善良の風俗を害する虞があると決した場合には，対審は，公開しないでこれを行ふことができる。但し，政治犯罪，出版に関する犯罪又はこの憲法第3章で保障する国民の権利が問題となつてゐる事件の対審は，常にこれを公開しなければならない。

第7章　財　政

第83条【財政処理の基本原則】 国の財政を処理する権限は，国会の議決に基いて，これを行使しなければならない。

第84条【課税】 あらたに租税を課し，又は現行の租税を変更するには，法律又は法律の定める条件によることを必要とする。

第85条【国費の支出及び国の債務負担】 国費を支出し，又は国が債務を負担するには，国会の議決に基くことを必要とする。

第86条【予算】 内閣は，毎会計年度の予算を作成し，国会に提出して，その審議を受け議決を経なければならない。

第87条【予備費】 ① 予見し難い予算の不足に充てるため，国会の議決に基いて予備費を設け，内閣の責任でこれを支出することができる。
② すべて予備費の支出については，内閣は，事後に国会の承諾を得なければならない。

第88条【皇室財産・皇室の費用】 すべて皇室財産は，国に属する。すべて皇室の費

用は，予算に計上して国会の議決を経なければならない。

第89条【公の財産の支出又は利用の制限】公金その他の公の財産は，宗教上の組織若しくは団体の使用，便益若しくは維持のため，又は公の支配に属しない慈善，教育若しくは博愛の事業に対し，これを支出し，又はその利用に供してはならない。

第90条【決算検査，会計検査院】① 国の収入支出の決算は，すべて毎年会計検査院がこれを検査し，内閣は，次の年度に，その検査報告とともに，これを国会に提出しなければならない。

② 会計検査院の組織及び権限は，法律でこれを定める。

第91条【財政状況の報告】内閣は，国会及び国民に対し，定期に，少くとも毎年1回，国の財政状況について報告しなければならない。

第8章　地方自治

第92条【地方自治の基本原則】地方公共団体の組織及び運営に関する事項は，地方自治の本旨に基いて，法律でこれを定める。

第93条【地方公共団体の機関，その直接選挙】① 地方公共団体には，法律の定めるところにより，その議事機関として議会を設置する。

② 地方公共団体の長，その議会の議員及び法律の定めるその他の吏員は，その地方公共団体の住民が，直接これを選挙する。

第94条【地方公共団体の権能】地方公共団体は，その財産を管理し，事務を処理し，及び行政を執行する権能を有し，法律の範囲内で条例を制定することができる。

第95条【特別法の住民投票】一の地方公共団体のみに適用される特別法は，法律の定めるところにより，その地方公共団体の住民の投票においてその過半数の同意を得なければ，国会は，これを制定することができない。

第9章　改　　正

第96条【改正の手続，その公布】① この憲法の改正は，各議院の総議員の3分の2以上の賛成で，国会が，これを発議し，国民に提案してその承認を経なければならない。この承認には，特別の国民投票又は国会の定める選挙の際行はれる投票において，その過半数の賛成を必要とする。

② 憲法改正について前項の承認を経たときは，天皇は，国民の名で，この憲法と一体を成すものとして，直ちにこれを公布する。

第10章　最高法規

第97条【基本的人権の本質】この憲法が日本国民に保障する基本的人権は，人類の多年にわたる自由獲得の努力の成果であつて，これらの権利は，過去幾多の試錬に堪へ，現在及び将来の国民に対し，侵すことのできない永久の権利として信託されたものである。

第98条【最高法規，条約及び国際法規の遵守】① この憲法は，国の最高法規であ

つて，その条規に反する法律，命令，詔勅及び国務に関するその他の行為の全部又は一部は，その効力を有しない。
② 日本国が締結した条約及び確立された国際法規は，これを誠実に遵守することを必要とする。

第99条【憲法尊重擁護の義務】 天皇又は摂政及び国務大臣，国会議員，裁判官その他の公務員は，この憲法を尊重し擁護する義務を負ふ。

第11章 補　則

第100条【憲法施行期日，準備手続】 ①　この憲法は，公布の日から起算して6箇月を経過した日（昭和22・5・3）から，これを施行する。
② この憲法を施行するために必要な法律の制定，参議院議員の選挙及び国会召集の手続並びにこの憲法を施行するために必要な準備手続は，前項の期日よりも前に，これを行ふことができる。

第101条【経過規定－参議院未成立の間の国会】 この憲法施行の際，参議院がまだ成立してゐないときは，その成立するまでの間，衆議院は，国会としての権限を行ふ。

第102条【同前－第一期の参議院議員の任期】 この憲法による第一期の参議院議員のうち，その半数の者の任期は，これを3年とする。その議員は，法律の定めるところにより，これを定める。

第103条【同前－公務員の地位】 この憲法施行の際現に在職する国務大臣，衆議院議員及び裁判官並びにその他の公務員で，その地位に相応する地位がこの憲法で認められてゐる者は，法律で特別の定をした場合を除いては，この憲法施行のため，当然にはその地位を失ふことはない。但し，この憲法によつて，後任者が選挙又は任命されたときは，当然その地位を失ふ。

事項索引

●あ 行

新しい人権 ……………………50
家制度 …………………………66
違憲審査 ……………………167
違憲審査制 …………………220
萎縮効果 ……………………107
1票の価値の不均衡（不平等）…182
意に反する苦役 ………………74
インターネット ……………118
営業の自由 …………………150
営利表現 ……………………112

●か 行

会計検査院 ……………196, 200
外国人 …………………………22
　　──の人権 …………………22
学問の自由 …………………9, 139
環境権 ……………………53, 59
姦通罪 …………………………60
議院内閣制 …………………199
帰化 ……………………………38
議会制民主主義 ………………30
基本的人権 ……………………6
　　──の享有 …………………7
義務教育 ……………………135
客観訴訟 ……………………230
教育の自由　→学問の自由 …138
教育を受ける権利 …………9, 134

行政 …………………………199
行政権 ………………………198
居住・移転の自由 …………149
近代立憲主義の特徴 ………238
勤労の権利（勤労権）……9, 148, 168
苦役 ……………………………74
経済活動の自由 ……………150
経済的自由 …………………114
刑罰権 …………………………81
結社 …………………………128
結社の自由 ……………………27
血統主義 ………………………38
健康で文化的な最低限度の生活
　　……………………………163
　　──を営む権利 ……………9
憲法改正 …………………2, 250
憲法規範の特質 ……………244
権力分立 ……………42, 198, 240
公共の福祉 ……………………16
合憲限定解釈 ………………228
広告 …………………………112
公職選挙法 …………………185
公序良俗 ………………………34
硬性憲法 ……………………246
公的言論 ……………………118
幸福追求権 ……………………48
公務員 …………………………35
国際連合（国連）…………85, 258
国際連盟 ……………………257
国政調査権 …………………208

国籍	37
——法	38
国民	7, 175-
——主権	3, 174-
個人の尊重	18, 42
国家	233
国会	2, 186
——単独立法の原則	187
——中心立法の原則	186
国家三要素説	233
国家賠償請求権	197
婚姻	67
婚外子	40

●さ　行

罪刑法定主義	81
最高法規	245
再婚禁止期間	64
財産権	31, 151, 156, 157
——の保障と損失補償	156
財政民主主義と予算	192
裁判	211
——を受ける権利	104
裁判員制度	78
裁判所の組織・活動	215
裁量	25
差別的表現	117
差別の禁止	54-
参議院	186
残虐な刑罰	87
三権分立	240
参政権	10

死刑	84
自己決定	47
——権	51
私人	31
自然権	43
思想・信条	58
思想・良心の自由	9, 89
私的言論	118
私的自治の原則	32, 76
児童扶養手当	63
司法権	78, 211
——の独立	218
——の範囲と限界	210
市民革命	12
社会権	9, 163
社会通念	107
集会	128
集会・結社の自由	128
衆議院	186
——の優越	188
自由権	9
集団的安全保障体制	258
住民自治の原則	205
住民訴訟	104, 230
主観訴訟	230
授権規範	248
主権国家	235
出生地主義	38
出版の自由	27
象徴天皇制	174
職業選択の自由	9, 51, 144, 146
情報通信技術の進展と表現の自由	118

人格権 …………………………51, 72
信教の自由 …………………9, 28, 94
ストライキ …………………………168
生活保護………………………14, 162
政教分離原則 ………………………100
制限規範 ……………………………248
政治活動………………………………22
政治的信条……………………………28
青少年保護育成条例…………………79
精神的自由……………………………36
生存権………………………………10, 163
政　党 ………………………………185
性同一性障害…………………………69
性表現 ………………………………107
成文憲法 ……………………………236
成文憲法典 …………………………242
世　俗 …………………………………95
絶対的平等……………………………55
選挙権……………………23, 180, 181
　──訴訟 …………………………230
相対的平等……………………………55
租税法律主義 ………………………193
尊属殺人罪……………………………61

●た　　行

大学の自治 …………………………141
大統領制 ……………………………199
団　体…………………………………27
　──自治の原則 …………………204
地方公共団体………………………31, 203
地方自治 ……………………………203
　──の本旨 ………………………204

抽象的違憲審査制 …………………224
徴兵制…………………………………93
著作権 ………………………………111
適正手続の保障………………………81
適用違憲 ……………………………226
奴隷的拘束……………………………74

●な　　行

内　閣 ………………………………198
内閣総理大臣 ………………………198
二重の基準……………………………36
納　税…………………………………77

●は　　行

8月革命説 …………………………254
パリ不戦条約 ………………………257
犯罪による処罰………………………77
人および市民の権利宣言（フランス
　人権宣言）…………………………12
秘密投票制 …………………………184
表現内容（中立）規制………………117
表現の自由…………………………9, 51
表現の時・所・方法の規制 ………123
平等原則 ……………………………230
付随的違憲審査制 …………………221, 224
普通選挙 ……………………………181
プライバシー権………………………15
兵　役…………………………………78
ヘイトスピーチ………………………98
平和主義……………………………42, 258
平和的生存権 ………………………256

事項索引　277

包括的人権……………………48
法定手続の保障………………79
法の下の平等 …………………54-
法務大臣………………………24
法律婚主義……………………62
法令違憲 ……………………226

● ま　行

身分制……………………………11
民主主義の学校 ……………205
民主政……………………………19
無国籍……………………………41
名誉毀損………………………120
名誉権……………………………51
目的効果基準…………………102

● や　行

唯一の立法機関 ……………186
予　算…………………………194

● ら　行

労働基本権 ……………………169
立法権……………………………186

● わ　行

わいせつ ………………………106
　──物頒布罪 ………………106

●編者紹介

井上　典之（いのうえ　のりゆき）

1960年大阪生まれ
1983年神戸大学法学部卒業
1988年大阪大学大学院法学研究科博士課程後期課程退学
1996年博士（法学）
現　職 大阪学院大学大学院法学研究科教授

憲法の時間〔第2版〕
Guidance on the Constitution of Japan, 2nd ed.

2016年12月20日	初　版第1刷発行
2022年 2月25日	第2版第1刷発行
2024年 7月20日	第2版第5刷発行

編　者　　井　上　典　之
発行者　　江　草　貞　治
発行所　　株式会社　有　斐　閣
　　　　　郵便番号 101-0051
　　　　　東京都千代田区神田神保町2-17
　　　　　https://www.yuhikaku.co.jp/

印刷・大日本法令印刷株式会社／製本・牧製本印刷株式会社
Ⓒ 2022, Noriyuki Inoue. Printed in Japan
落丁・乱丁本はお取替えいたします。
★定価はカバーに表示してあります。

ISBN 978-4-641-22831-3

JCOPY　本書の無断複写（コピー）は、著作権法上での例外を除き、禁じられています。複写される場合は、そのつど事前に(一社)出版者著作権管理機構（電話03-5244-5088, FAX03-5244-5089, e-mail: info@jcopy.or.jp）の許諾を得てください。